프리미어리그 BIG4 A to Z

발　행 2015년 07월 28일
저　자 김동완
펴낸곳 주식회사 부크크
주　소 경기도 부천시 원미구 춘의동 202 춘의테크노파크2단지 202-1510
전　화 (070) 4085-7599
E-mail info@bookk.co.kr
ISBN 979-11-5811-235-6

www.bookk.co.kr

프리미어리그 BIG4
A to Z

김동완 저

차 례

|작가 소개|

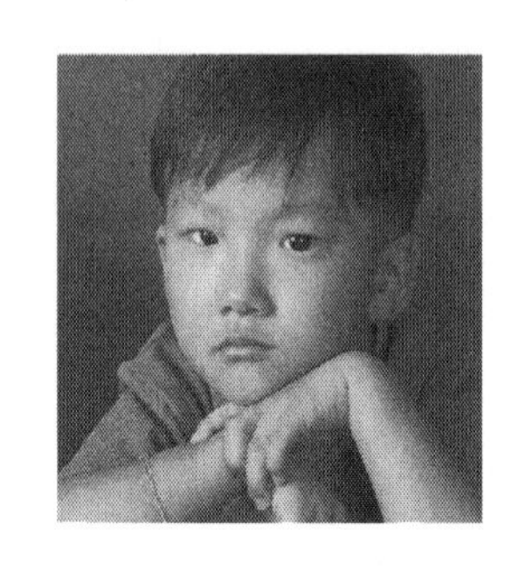

저자 김동완은 1999년 서울에서 태어나 현재 양천고등학교 1학년에 재학 중인 축구 칼럼니스트이다. 초등학교 3학년, 아버지와 서울 월드컵경기장에 K리그 FC서울과 수원 삼성의 슈퍼매치를 관람한 이후로 국내 축구와 해외 축구의 매력에 빠지게 되었고, 중학교 1학년부터 개인 블로그와 직접 만든 커뮤니티에서 축구 칼럼을 연재하면서 이름을 알렸다.

재능 있는 분야인 글 쓰기와 흥미 있는 분야인 축구를 접목시켜 아마추어 축구 칼럼니스트가 되었고, 축구 칼럼니스트 및 전문 기자를 꿈꾸고 있다. 2015년 호주 아시안컵 도중에는 세 차례나 네이버 스포츠 메인을 장식하면서 24시간동안 약 5만 명이 사이트를 방문하기도 하였고, 전체 조회 수는 10만 건을 넘기도 하면서 '까리한축구' 칼럼은 이미 수준급 칼럼으로 인정받았다. 현재 까리한축구 칼럼니스트이자 축구 공작소의 집필진 등으로 '까리한축구'를 연재하고 있으며, 〈This Is Anfield〉와 같은 축구 커뮤니티에서도 역시 칼럼을 연재하고 있다. 그는 때때로 K리그 경기면 서포터즈 석에서 깃발을 나부끼기도 할 정도로 뜨겁게 응원하지만, 경기가 끝나면 누구보다 차갑게 분석하는 '축구 글쟁이'이다.

이 책을 헤이젤과 힐스버러 참사의 희생자,
그리고 뮌헨 비행기 참사의 희생자에게 바친다.

R.I.P

제 1 장 '포병부대' 아스날

ARSENAL FC

A - A.R.S.E.N.A.L, The Name (그 이름, 아.스.날)

아스날. 참으로 멋진 이름이다. 사전적 의미로는 무기 공장, 무기고의 뜻을 가지고 있다. 얼마나 멋진 이름이면 전 세계 프로축구리그에 '아스날'이라는 이름을 가진 팀이 6개나 되겠는가. 아스날 FC(잉글랜드)를 비롯하여 베레쿰 아스날(가나), 아스날 드 사란디(아르헨티나), 아스날 툴라(러시아), 아스날 드 브라가(포르투갈) 그리고 아스날 키에프(우크라이나)까지 총 6개이다. 물론 모두 잉글랜드의 아스날 FC보다 늦게 창단했다.

B - Boring Boring Arsenal (지겹고 따분한 아스날)

한 친구에게 아스날의 별명이 Boring Boring Arsenal이었다고 말해주었다. 하지만 2000년대 중반부터 프리미어리그를 보던 그 친구의 표정은 전혀 납득할 수 없다는 표정이었다. 단언컨대 아스날은 가장 아름답고 화려한 축구를 구사하는 팀이기 때문이다. 하지만 그 이전으로 돌아간다면? 이야기는 달라진다.

사실 아스날이 이렇게 변하게 된 것은 얼마 되지 않았다. 1990년대 중반까지만 해도 '수비 축구'가 그들의 작전이었다. '철의 백포'라고 불리는 리 딕슨, 스티브 볼드, 토니 아담스, 나이젤 윈터번은 그야말로 그 어느 공격진이 와도 다 막아냈다. 앞에서 이안 라이트가 한 골을 넣으면 뒤에서는 잠그면서 승리를 지켜냈다. 그 어느 팀보다 1-0 승리가 많았던 아스날이었다.

그 이전으로 훌쩍 돌아가서 1930년대에도, 역시나 '수비 축구의 대가' 아스날이었다. 이후 감독을 맡기도 하였던 조지 그레이엄의 패스에 의존한 아스날은 그야말로 '정말 재미없는 축구'를 했다. 승리를 따냈다하면 1-0 승리였다.

하지만 '구세주' 아르센 벵거가 부임한 이후로는 프리미어리그에서 그 어느 팀보다 아름답고 화려한 축구를 하기 시작했다. 그 화려한 축구로 바로 다음 시즌에는 리그와 FA컵 더블을 거머쥐고, 8년째 되는 시즌에는 무패우승을 달성하며 역사를 새로 썼다.

C - Captain Zinx (지긋지긋한 주장 징크스)

축구에서의 주장은 무슨 의미를 가질까. 단순히 '베테랑, 혹은 나이가 많은 선수'라고 생각한다면 오산이다. 전술적인 부분에서 예상치 못한 일이 팀에게 발생할 때 결정을 내려야 하며 점수 상황에 따라 선수들이 흔들리지 않게 정신적인 부분에서 역시 잡아주어야 하는 '그라운드 위의 감독'이다.

아스날에서 무려 669경기를 뛴, 프리미어리그만 해도 504경기를 뛴 토니 아담스는 1988년부터 2002년까지 무려 15년간 주장 완장을 찼다. 아스날의 전성기를 이끈 '미스터 아스날'이라는 별명의 주인공이기도 하다. 팀의 레전드이자 정신적 지주였던 아담스가 은퇴하고는 자연스럽게 당시 부주장이었던 패트릭 비에이라가 주장 완장을 차게 된다. '주장 징크스'가 시작된 건 아마 그 때부터가 아니었을까싶다.

AC밀란에서 자리를 잡지 못하던 비에이라를 아스날로 데리고 온 것은 아르센 벵거였다. 아담스가 은퇴하고는 비에이라가 주장 완장을 찼다. 첫 시즌인 2001-2002 시즌에 프리미어리그와 FA컵을 동시에 거머쥐면서 더블의 주인공이 되었고 2003-2004 시즌에는 무패우승이라는 기염을 토해내기도 했다. 그러나 비에이라는 아스날의 영입 정책에 불만을 토로했고 매 이적 시장마다 루머가 돌면서 팀 분위기를 뒤숭숭하게 만들기도 하였다. 결국 2005년 여름에는 유벤투스로 이적하여 새로운 도전을 시작하려 했지만 경기력은 매우 떨어진 상태였다. 이후 인터 밀란과 맨체스터 시티에서도 별다른 활약을 보이지 못했다.

비에이라가 떠난 주장 완장은 '킹' 앙리가 차게 되었다. 주장으로 선임된 첫 시즌부터 프리미어리그 3연속 득점왕을 하면서 '리그 간판 공격수'임을 입증했다. 허나 팀은 챔피언스리그에서 바르셀로나에 패해 준우승을, 프리미어리그에서는 4위를 겨우 할 정도의 실력으로 폼이 내려앉았다. 다음 해는 앙리의 아스날에서 임대를 제외한 마지막 커리어가 된다.

이후 윌리엄 갈라스가 주장으로 선임된다. 하지만 2007-2008 프리미어리그가 끝나고 주장 직을 박탈당했다. "여러 선수가 그 선수에게 불만을 토로해서 그 선수에게 전해줬는데, 반성할 기미는커녕 도리어 우리에게 욕을 퍼부었다."라고 하면서 팀의 불화를 언론에 들추어냈다. '그 선수'가 누구인지 밝히지는 않았지만 그가 자신보다 6살 어린 선수라고 했기에 대부분의 팬들은 반 페르시라고 예상하고 있다. 어찌되었건 별로 좋지 않은 모습을 보인 갈라스는 자유계약 신분으로 풀려났고, 그가 선택한 다음 행선지는 다름 아닌 아스날의 북런던 라이벌, 토트넘 핫스퍼였다. 이러니 '주장 징크스'가 아닐 수 없다.

그 다음 주자는 세스크 파브레가스다. 아스날 최연소 출장기록(16세 177일)을 세우면서 구너들의 기대를 온 몸에 받았던 그는 2008년 주장에 임명된다. 허나 이후 바르셀로나 유소년 팀 출신인 그가 바르셀로나로의 이적을 원한다는 소식이 점점 많아지고, 아스날의 무관이 계속되자 2011년 바르셀로나로 이적했다. 물론 이적한 선수였지만, 구너들은 그에게 호의적인 입장을 보였다. '언젠가는 돌아와서 다시 한 번 그의 플레이를 봤으면….'하는 생각의 팬들도 많았다. 그런데 2014년 여름, 월드컵을 3시간 정도 앞두고 프리미어리그의 첼시로 이적한다. 더욱 아스날을 화나게 하는 것은 그의 이적으로써 번 돈이 0원이라는 것이다. 물론 이전 메수트 외질이라는 월드 클래스급 미드필더를 영입하여 딱히 파브레가스에 대한 필요성을 못 느꼈을 수도 있지만, '내가 잉글랜드에서 뛸 팀은 오직 아스날'이라는 말을 해 온 파브레가스이기에 구너들은 더욱 화가날 수 밖에 없다.

파브레가스가 떠난 아스날을 이끈 장본인은 로빈 반 페르시였다. 당시 주장을 맡았지만 18위까지 순위가 떨어졌고 리그 라이벌 맨체스터 유나이티드에게는 2-8 대패를 당했다. 그리고는 엄청난 활약으로 시즌을 소화한다.(그의 부상에 대비하여 영입한 박주영은 몇 경기 뛰지도 못했다.) 당시 시즌이 그의 최고의 시즌이었음은 틀림없다. 프리미어리그 득점왕, 최다 공격 포인트, PFA 올해의 선수와 베스트 일레븐 그리고 FWA 올해의 선수까지 죄다 휩쓸었다. 허나 반 페르시는 "내 안의 작은 아이가 맨체스터 유나이티드를 외쳤다." 라고 하면서 맨체스터 유나이티드로 이적했다. 현지 언론은 프리메라리가의 루이스 피구의 이적만큼 충격적인 이적이라고 보도하기도 했다. 이후 현지 구너들에게는 'Vanish(사라지다), TrashVan(쓰레기 반페르시)'등의 별명을 얻었고, 국내 팬들에게는 '반 패륜시'라는 별명을 얻었다. 그 후 작은 아이의 또 다른외침에 따라 페네르바체로 이적하였다.

이후 '주장 징크스를 끊겠다.'며 주장 완장을 찬 주인공은 바로 토마스 베르마엘렌이다. 2012-2013 프리미어리그에서 주장으로서 팀을 이끌다가 로랑 코시엘니와 페어 메르테사커의 듀오가 갑자기 엄청난 활약을 보이면서 점점 벤치에 앉는 횟수가 많아졌다. 그에 따라 2014년 8월, 5년의 장기계약으로 바르셀로나로 이적했다. 그리고 바로 부상 소식이 들렸다. 그런데 흥미롭게도, 시즌 말에 복귀하여 한 경기 만에 트레블을 이루어냈다. 그래서인지 전 세계 축구 팬들의 조롱거리가 되었다.

D - Dutchman in Gunners (네덜란드 인 거너스)

세 명의 네덜란드 공격수는 아스날과 인연을 맺었다. 가장 먼저 데니스 베르캄프다. 네덜란드 축구 국가대표팀과 아스날의 레전드로, '쉐도우 스트라이커의 교과서' 등의 별명을 가졌던 그는 가족들이 모두 맨체스터 유나이티드를 좋아하기에 혼자 튀고 싶어서 토트넘을 응원한 그는 아약스와 인터 밀란을 거쳐 아스날로 입단하게 된다. 프리미어리그 최고의 플레이 메이커로서 11시즌간 무려 256개의 공격 포인트를 올렸다. 오늘날 2003-2004 프리미어리그의 무패우승에 기여한, '티에리 앙리의 환상적인 조력자' 정도로 기억하는 사람들이 있겠지만 그는 '아름다운 경기를 하는 팀'에서 '가장 아름다운 경기를 하는 선수'이었음에 틀림없다.

베르캄프 다음으로 아스날의 유니폼을 입은 네덜란드 공격수는 바로 마르크 오베르마스다. 고 어헤드 이글스 FC에서 빌럼과 아약스를 거쳐 1998년 아스날에 입단한 그는 바로 첫 시즌부터 12득점을 했다. 1997-1998 프리미어리그 우승과 1998 FA컵, 채리티 실드 우승에 기여하면서 꽤나 좋은 활약을 보였지만 베르캄프의 임팩트가 너무도 강했는지, 기대만큼은 아니었다.

마지막으로 아스날과 함께한 네덜란드인은 로빈 반 페르시다. SBV 엑셀시오르와 페예노르트를 거쳐 2004년 아스날에 입단한 그는 무려 9년간의 선수 생활을 아스날에서 보낸다. 베르캄프의 퍼스트 터치와 탁월한 슈팅 감각을 닮은 그는 팬들의 기대를 한 몸에 받았고, 주장까지 맡게 된다. 하지만 앞에서 이야기 했듯이, 그 안의 작은 아이가 원하는 맨체스터 유나이티드로 갔다. 결국, 세 명의 네덜란드 선수 중 아스날에서 엄청난 활약을 보임과 동시에 지금까지 존경받고 있는 선수는 베르캄프가 유일하지 않을까.

E - Emirates Stadium (에미레이츠 스타디움)

두바이에 본사를 두고 있는, 항공 회사 에미레이츠는 축구 팬들에게 꽤나 알려진 항공사이다. 아스날의 공식 스폰서이면서 1억 파운드로 경기장 이름을 '에미레이츠 스타디움'으로 15년간 바꾸기로 계약했다. 또한 파리 생제르망, 레알 마드리드, AC 밀란 등 유럽 빅 클럽의 스폰서이기도 하다.

그 중 에미레이츠 스타디움에 대해 이야기 해볼까 한다. 2006년까지 사용된 하이버리 스타디움의 노후화로 에미레이츠 스타디움을 짓게 된다. 올드 트래포드 다음으로 프리미어리그에서 가장 규모가 큰 구장이기도 하다. 이 에미레이츠 스타디움을 짓는 비용은 한화로 약 7,000억 원이 들었다고 한다. 그 중 약 1,800억 원은 에미레이츠 항공에서 지불하였다. 따라서 2022년부터는 다시 애쉬버튼 그로브(Ashburton Grove)로 돌아가게 된다.(물론 현재 아스날이 에미레이츠 스타디움으로 옮기고 명명권에 대해 일부 현지 팬들은 '이제 아스날이 팬들을 위한 구단이 아니라 상업적인 목적의 구단이 되었다.'라고 하면서 애쉬버튼 그로브라고 부르기도 한다.)

흥미로운 것은 약 7,000억 원 중 약 2,000억 원을 어느 한 팀에서 도와주고(?) 있다는 것이다. 다름 아닌 스페인 카탈루냐의 명문 팀, 바르셀로나다. 바르셀로나는 2000년부터 오베르마스, 반 브롱크호스트, 티에리 앙리, 알렉스 흘렙 등을 영입하였고 이어 2011년부터는 세스크 파브레가스, 알렉스 송 그리고 토마스 베르마엘렌까지 영입하였다. 정말 이정도면 꾸준한 스폰서가 아닐까 싶다.

아스날 구단은 에미레이츠 스타디움으로 경기장을 옮긴 후 '아스날라이제이션(Arsenalisation)'이라는 프로젝트를 진행했다. 경기장 좌석에는 아스날을 상징하는 대포를 그려 넣고, 경기장 외벽에는 아스날의 레전드들을 그렸다. 경기장 앞에는 하버트 채프먼, 토니 아담스, 티에리 앙리, 데니스 베르캄프 등의 동상이 있어 아스날의 상징성을 부각시키고 있다.

F - FA Cup Champion (FA컵 챔피언)

잉글랜드 축구 협회 챌린지 컵(Football Association Challenge Cup, FA CUP)은 잉글랜드 축구 협회에서 주관하는 컵 대회로써 프리미어리그의 팀부터 아마추어 축구팀까지 모두 참여하여 그야말로 '잉글랜드 축구 팀 최강자'를 가리는 대회이다.(가끔 웨일즈나 스코틀랜드의 팀이 참여하기도 한다.) 무려 한반도에서 신미양요가 있었던 해인 1871년부터 그 역사는 시작되었다.

1991년으로부터 (2015년 FA컵까지를 기준으로) 아스날(8회), 첼시(6회), 리버풀(3회), 맨체스터 유나이티드(4회)의 프리미어리그 빅4가 휩쓸다시피 했다. 에버튼과 포츠머스, 맨체스터 시티 그리고 위건이 한 번씩만 우승을 하고는 나머지 시즌은 모두 빅4에게 준 셈이다. 하지만 그 중 FA컵 최강자를 뽑으라면 단연 아스날이다.

2000년대 초반부터 아스날은 첼시, 사우스햄튼, 맨체스터 유나이티드 등 결승전에서 리그 강팀을 만나 승리하면서 우승을 차지했다. 2013-2014시즌 FA컵에서는 헐 시티를 만나 3-2로 격파하면서 우승을 차지했고, 2014-2015시즌 FA컵에서는 아스톤 빌라를 무려 4-0으로 꺾고 우승을 차지하였다. 2014-2015시즌의 우승으로 아스날은 맨체스터 유나이티드(11회)를 제치고 FA컵 최다 우승 팀이 되었다. (참고로 FA컵 최다 준우승 팀은 8회로 에버튼. 그 뒤는 7회로 아스날, 맨체스터 유나이티드, 리버풀, 뉴캐슬 유나이티드다.)

G - Gooner of the World (전 세계의 구너)

아스날은 프리미어리그 빅4의 나머지 팀들과 함께 전 세계적으로 팬이 가장 많은 팀 중 한 팀으로 꼽힌다. 그 중 몇 명을 소개하고자 한다. 가장 먼저, 1952년 출생한 영국의 여왕인 엘리자베스 2세이다. 영국은 물론 캐나다, 호주, 뉴질랜드, 자메이카 등 16개국 1억 3천만 명의 여왕인 그녀는 아스날 팬으로 유명하다. 왕실의 해리 왕자 역시 아스날의 광팬이다.(윌리엄 왕자와 앤드류 왕자는 각각 아스톤 빌라와 노리치 시티의 서포터이다.)

이번에는 약간 소름끼치는 '구너 3인방'을 소개하겠다. 먼저, 오사마 빈 라덴은 국제 테러리스트 조직인 알카에다의 지도자로서 9.11 테러의 배후로 여겨지고 있다. 2011년 5월 사망한 그는 한때 축구를 하기도 한 '축구 선수 출신'이었다. 공격수로서 상대의 골문을 겨누던 그는 이후 아스날의 광팬이 되었다고 한다. 마피아 갬비노 파의 두목인 존 고티도 아스날의 열성적인 팬이고 쿠바의 정치가이자 혁명가인 피델 카스트로 역시 아스날의 팬이다.

해외의 유명인사 중에는 '셜록'의 베네딕트 컴버배치, '간달프' 이안 맬켈런, '킹스맨' 콜린 퍼스 등이 있다. 그 외에도 앤디 머레이, 루이스 해밀턴, 로버트 패틴슨 등 많은 구너들이 지금도 아스날을 응원하고 있다.

H - Highbury (하이버리)

120년간 아스날의 역사가 담겨있는 하이버리. 잉글랜드 런던의 하이버리에 위치한 이 하이버리 스타디움은 1913년(3·1운동보다 6년이나 앞선다.)에 개장하여 두 번의 보수를 거쳐 현재는 역사 속에 남아있는 곳이다. 제2차 세계 대전 당시 독일의 공습으로 일부 파괴되기도 했다. 1990년대 팀이 급속 성장을 하면서 빅 클럽인 면모에 맞지 않게 경기장이 작다는 이야기가 나왔다. 올드 트래포트(맨체스터 유나이티드)와 세인트 제임스 파크(뉴캐슬 유나이티드)는 50,000명 이상 수용이 가능하였지만 아스날의 하이버리는 고작 38,500명밖에 수용할 수 없었기 때문이다. 또한 크리켓이나 야구 등과 같은 다른 스포츠도 진행하였기에 잔디의 관리도 매우 어려웠고, 그에 따라 선수들의 부상도 잦았다. 그래서 결국 아스날은 에미레이츠 스타디움으로 옮기고 현재 하이버리는 경기장이 아닌 아파트로 런던에 위치하고 있다. 경기장 외벽을 허물지 않고 그대로 사용했다.

I - Ian Wright, Wright, Wright! (라이트, 라이트, 라이트!!)

"라이트, 라이트, 라이트!"

팬들은 이안 라이트를 부를 때, 그냥 '이안 라이트'라고 부르지 않는다. 그들은 '이안 라이트, 라이트, 라이트!'라고 부른다. 라이트는 조지 그레이엄의 아스날 시절에 250만 파운드(한화 약 43억 원)이라는 당대 최고의 금액으로 이적하게 된 그는 아스날의 득점 주포가 되면서 FA컵 우승, 리그 컵 우승, 컵 위너스 컵 우승을 이루어내었고, 1990년대 중반의 아스날을 이끌었다. 1992년과 1993년은 팀 기여도가 가장 높은 선수로 인정받아 올해의 아스날 선수상을 수상했다. 클리프 배스틴이 무려 59년간 가지고 있단 아스날 최다 득점 기록을 갈아치우면서 아스날 최고의 공격수가 되었다. (물론 이후 티에리 앙리가 금방 갈아치웠다.)

1997-1998 프리미어리그는 그의 마지막 시즌이었다. 마지막 시

즌까지 24경기 동안 10득점을 성공시키면서 팀을 우승으로 이끈다.

아스날을 떠나 웨스트 햄 유나이티드와 셀틱을 거쳐 은퇴했다. 하지만 그 이후에도 '라이트'는 프리미어리그 무대를 떠나지 않았다. 바로 숀 라이트 필립스다. 이안 라이트의 양자인 숀 라이트 필립스는 1999년 맨체스터 시티에 입단하며 데뷔하였다.

J - Jack & Aron, Our Pride (우리의 자랑, 잭과 아론)

'아스날의 미래', '아스날의 자랑'이라는 별명을 가지고 있는 잭 윌셔와 아론 램지. 2000년대의 아스날을 이야기할 때, 이 두 선수를 빼놓을 수 없는 건 사실이다. 1992년생의 잉글랜드 출신 윌셔와 1990년생의 웨일스 출신 램지. 이 둘에 대하여 알아보자.

먼저 '잉글랜드의 미래'로 전 세계 축구 팬들의 이목을 집중시켰던 윌셔는 일반적인 잉글랜드 선수들보다 기술적으로 뛰어난 선수이다. 2009-2010 프리미어리그에서 볼턴 원더러스에 임대를 다녀온 후 계속해서 아스날의 중원으로서 활약하고 있다. 그는 두 자녀(아들 아치 잭 윌셔, 딸 델리아 그레이스 윌셔)의 아버지가 되었지만 밖에서의 소동은 많았다. 챔피언스리그 조별예선 승리 후 나이트 클럽에 가서 담배를 피우는 사진이 찍히기도 했고, 2013년 겨울에는 맨체스터 시티 원정 경기에서 상대 팬들의 야유를 받고는 가운데 손을 내미는 욕을 하면서 출장 정지를 받기도 했다. 게다가 2014년 겨울에는 잉글랜드 현지에서 물담배를 피우는 장면이 한 번 더 포착되어서 논란이 되었다.(참고로, 이 사건에 관련하여 아르센 벵거는 '본인 인생은 본인이 책임지는 것.'이라면서 이전의 마루앙 샤막의 사건과는 다른 반응을 보였다.) 프리미어리그에서 통산 114경기를 소화한 그는 고작 7득점과 13도움 밖에는 없다. 허나 그의 플레이는 팀에 녹아내려 단지 수치만으로 평가할 수 없는 게 사실이다.

램지는 팀 내에서 '멀티 플레이어'로서의 활약을 가졌다. 측면 수비수, 수비형 미드필더, 공격형 미드필더, 윙어까지 소화하는 그는 카디프 시티 유소년 출신이다. 그는 2007-2008 FA컵 준결승전에서 카디프 시티의 미드필더로 엄청난 활약을 보였고, 빅 클럽들이 관심을 보였다. 그 중 램지는 아스날을 선택했다. 허나 2010년, 그에게 악몽 같은 일이 벌어진다. 스토크 시티와의 경기에서 라이언 쇼크로스의 몰상식한 태클로 엄청난 부상을 당한다. 결국 그는 날개를 펼치기 시작할 그 시기에 1년씩이나 공백기를 가져야 했다.(그런데 스토크 시티의 팬들은 오히려 램지를 '램지의 다리는 도마뱀의 꼬리야~'라며 비난한다.) 복귀 후에 계속하여 좋지 못한 모습을 보이며 비판 받았지만, 2013-2014 프리미어리그에 드디어 그가 '아스날의 에이스'가 되었다. 당시 패스 정확도는 88.2%이며 패스 성공률은 91.4%였으니 정말 최고의 미드필더였던 것이다. 4라운드 선덜랜드와의 경기에서 역전골과 쐐기골을, 10라운드 리버풀과의 경기에서 엄청난 중거리 슛을 성공시키며 쐐기골을 성공시키기도 하였다. 그리고 같은 해 FA컵 결승전에서는 경기 종료 2분여를 남긴 연장 117분에 극적인 역전골을 넣으면서 9년의 무관을 끊어주는 역할을 하기도 하였다.

산티 카솔라는 "잭 윌셔와 아론 램지는 환상적인 재능을 가지고 있다."라고 말한다. 이 둘은 아스날에서 좋은 활약을 펼쳐, 먼 훗날 '아스날의 레전드'로 기억될 수 있을까?

K - KING HENRY (킹 앙리)

'아스날 역사상 최고의 공격수', '프리미어리그 역대 최다 득점왕', '프리미어리그 최고의 외국인 공격수', '아스날의 킹'. 이 별명을 가진 자는 누구일까. 맞다. 티에리 앙리다. 1977년 8월, 프랑스 파리 근교 레줄리에서 태어난 그는 불량 청소년에서 벗어나기 위하여 축구를 시작한다. 1993년, 아르센 벵거가 감독으로 있는 AS 모나코의 유소년에 입단하여 1996-1997 프랑스 리게 앙에서 팀 우승에 기여하기도 하였고, 자국에서 열린 1998년 프랑스 월드컵에서 측면 미드필더로 출장하여 공격수보다 많은 득점을 기록하면서 프랑스 우승에 기여하기도 하였다. 세리에A의 명문 팀인 유벤투스로 이적했지만 별다른 활약을 하지 못했고, 벵거는 앙리의 영입을 강력히 추진하여 아스날로 오게 된다.

패트릭 비에이라와 엠마누엘 프티라는 든든한 프랑스 동료가 있었기에 적응은 어렵지 않았다. 팀에서 첫 시즌 47경기 26득점 11도움, 두 번째 시즌은 리그에서만 17득점, 세 번째 시즌은 리그에서만 24득점을 기록하며 득점왕을 차지했다. 비로소 아스날의 '대박 공격수'로서 인정을 받은 것이다.

그로부터 2년 후, 전 세계 팬들에게 너무나도 유명한 '무패우승 시즌'을 맞는다. 2003-2004 프리미어리그는 그야말로 '벵거 아래 아스날의 전성기'이자 '앙리의 전성기'였던 것이다. 그는 데니스 베르캄프, 로베르토 피레스, 프레딕 융베리 등과 같은 선수와 호흡을 맞추면서 우승을 거머쥐었다. 득점왕도 당연히 앙리의 것이었다. 그 다음시즌 역시 25득점으로 손쉽게 득점왕을 차지하고 그 다음 시즌인 2005-2006 프리미어리그 역시 득점왕을 차지하면서 3시즌 연속 득점왕을 차지하게 된다. 이 시즌에는 주장으로 선임된 시즌이기도 하면서 이안 라이트의 아스날 최다 득점 기록을 갈아치운 '기록의 시즌'이다. 2006-2007 프리미어리그는 아스날의 에미레이츠 스타디움에서의 첫 시즌이었다. 하지만 함께 전성기를 보내었던 패트릭 비에이라, 데니스 베르캄프, 로베르토 피레스는 모두 떠났다.

게다가 부상까지 당하면서 시즌 도중 이탈하였다.(그 이후 한국으로 들어와 'MBC 무한도전'을 촬영하였다. 그 때만해도 이렇게 대단한 섭외인 줄은 상상도 못했다.) 결국 그는 바르셀로나로 이적하면서 아스날에서의 커리어는 마감되는 듯 싶었지만 2011-2012 시즌 임대로 아스날에 복귀한다. 1득점을 더 추가시키면서 아스날 통산 376경기 228득점 92도움으로 아스날에서의 기록은 이렇게 마감되었다.

앙리가 떠난 후 에마뉘엘 아데바요르, 에두아르도 다 실바, 로빈 반 페르시, 박주영 등의 공격수가 아스날의 공격수로서 팀에 입단했지만 그 누구도 앙리만큼의, 아니 반만큼의 존경도 받지 못했다. 앙리의 뒤를 이을 공격수는 어디에 있을까.

L - List of the Best Gunner (최고의 거너스 명단)

1. 최다 출장 기록

아스날에서 가장 많은 경기를 소화한 선수는 '통곡의 벽'으로 유명한 데이비드 올리어리다. 1973년에 연습생으로 입단, 1975년 데뷔한 그는 무려 19년간 아스날에서 활약하면서 772경기를 소화했다. 그 뒤를 이은 최다 출장 기록 선수들로는 '미스터 아스날' 토니 아담스와 '철의 백 포'를 이끈 리딕슨, 나이젤 윈터번이 있다.

순위	선수	출장 횟수
1	데이비드 오리어리 (1973~1993)	722
2	토니 아담스 (1983~2002)	669
3	조지 암스트롱 (1961~1977)	621
4	리 딕슨 (1988~2002)	619
5	나이젤 윈터번 (1987~2000)	584
6	데이비드 시먼 (1990~2003)	564
7	팻 라이스 (1964~1980)	528
8	피터 스토리 (1961~1977)	501
9	존 레드포드 (1963~1976)	481
10	피터 심슨 (1960~1978)	477

2. 최다 득점 기록

분명 1991년부터 1998년까지 활약한 이안 라이트에 대하여 아르센 벵거는 "한 몇 십년간 이 위대한 기록(이안라이트의 최다 득점 기록)은 깨지 못할 거다."라고 했다. 하지만 티에리 앙리에 의해 바로 깨지고야 말았다.

순위	선수	득점
1	티에리 앙리 (1997~2007,2012)	228
2	이안 라이트 (1991~1998)	185
3	클리프 바스틴 (1929~1946)	178
4	존 레드포드 (1962-1976)	149
5	테드 드레이크 (1934~1945)	139
6	지미 브래인 (1923~1931)	139
7	덕 리쉬먼 (1948~1956)	137
8	로빈 반 페르시 (2004~2012)	132
9	조 흄 (1926~1938)	125
10	데이비드 잭 (1928~1934)	124

3. 무패우승 멤버(일부 생략)

등번호	선수
1	옌스 레만
3	애슐리 콜
4	패트릭 비에이라
5	마틴 키언
7	로베르토 피레스
8	프레딕 융베리
9	호세 안토니오 레예스
10	데니스 베르캄프
11	실뱅 윌토르
12	로렌
13	스튜어트 테일러
14	티에리 앙리
15	레이 팔러
17	에두
18	파스칼 시강
19	질베르토 실바
20	필리페 센데로스
22	가엘 클리쉬
23	솔 캠벨
25	은완코 카누
28	콜로 투레
57	세스크 파브레가스

M - Messiah, Mesut! (**메시아, 메수트 외질!**)

메수트 외질은 독일의 샬케04와 베르더 브레멘에서 활약하다가 2010년 남아공 월드컵에서의 활약에 힘입어 레알 마드리드에 입단했다. 레알 마드리드에서 외질은 최전방 공격수 바로 아래에서 공격을 지원하는 '메디아푼타'의 역할을 맡아 105경기에 출장하여 19

득점을 기록했다. 10번으로 등번호를 바꾸면서 도움왕을 수상하기도 하였다. 카를로 안첼로티가 레알 마드리드의 새로운 감독으로 부임하여 윙어로 활약하다가 아스날로 이적한 그는 이적료 4250만 파운드로 아스날 클럽 레코드를 깼다. 게다가 프리미어리그 역대 3위의 이적료이기도 했다. 외질의 이적으로 일단 아스날은 전술적으로 다양함을 추구할 수 있게 되었고 동시에 '셀링 클럽'의 이미지도 벗어날 수 있게 되었다. 프리미어리그 데뷔전인 선덜랜드와의 경기에서 10분 만에 올리비에 지루의 선제골을 도우면서 아스날에서의 공격 포인트를 쌓기 시작했다.

그를 레알 마드리드로 이끌게 한 2010년 남아공 월드컵에 이어 2014년 브라질 월드컵에서의 활약은 엄청났다. 지난 대회에 비해 부진했다는 평가가 있었지만 결국 팀 내 찬스 메이킹, 최다 드리블 성공, 키 패스 성공률에서 1위를 차지하였다. 페어 메르테사커와 루카스 포돌스키 그리고 외질, 세 명의 거너스는 2014년 브라질에서, 독일의 우승을 이끌었다.

항상 약하다고 평가받았던 아스날의 고질적인 문제점인 세트피스도 해결했고, '셀링 클럽'의 이미지도 외질의 영입(그리고 그 이후의 알렉시스 산체스, 페트르 체흐의 영입)으로 없어졌다. 확실한 투자를 보여준 아스날은 외질의 영입으로 한 단계 더 성장하였다. 구너들에게 '그 순간에 하늘의 천사가 내려오는 듯 했다.'라면서 외질의 영입을 아직까지도 회자되고 있다.

 N - North London Derby (북런던 더비)

북런던 더비는 잉글랜드의 수도인 런던, 그 중 북쪽에 위치하고 있는 세계적인 두 팀인 아스날과 토트넘의 더비 매치를 말한다.

그들이 개와 고양이처럼 서로 으르렁대기 시작한 것은 단지 지리적인 요인 때문 만이었을까? 당연히 아니다. 역사는 1919년으로 거슬러 올라간다. 세계 대전 전에 진행된 1914-1915시즌에 아스날은 5위라는 성적을 거둔다. 물론 2부 리그 5위 말이다. 그런데 세계 1차 대전이 종전되고는 1부 리그로 승격했다. 어찌 된 일일까?

전쟁이 끝나고 1919년에 1부 리그 참가 팀을 기존 20팀에서 22팀으로 늘리게 되었다. 따라서 2부 리그에서 올라올 두 팀(2부 리그 우승팀과 준우승팀)은 당연히 승격하고. 기존 1부 리그 19위로 강등 예정이었던 첼시가 남게 되었다. 나머지 한 자리는 1부 리그 20위, 즉 꼴찌였던 토트넘과 2부 리그 3위부터 7위의 팀이 입후보해서 투표가 열리게 되었다. 간단하게 정리하면 아래 표와 같다.

<table>
<tr><th>리그</th><th>순위</th><th>팀</th><th>승강/잔류 여부</th></tr>
<tr><td rowspan="2">1부 리그</td><td>19위</td><td>첼시 FC</td><td>잔류</td></tr>
<tr><td>20위</td><td>토트넘 핫스퍼</td><td>후보</td></tr>
<tr><td rowspan="7">2부 리그</td><td>1위</td><td>더비 카운티</td><td rowspan="2">승격</td></tr>
<tr><td>2위</td><td>프레스턴 노스 엔드</td></tr>
<tr><td>3위</td><td>반슬리 FC</td><td rowspan="5">후보</td></tr>
<tr><td>4위</td><td>울버햄튼 원더러스</td></tr>
<tr><td>5위</td><td>아스날 FC</td></tr>
<tr><td>6위</td><td>버밍엄 시티</td></tr>
<tr><td>7위</td><td>헐 시티</td></tr>
</table>

토트넘 핫스퍼와 반슬리, 울버햄튼 원더러스, 아스날, 버밍엄 시티 그리고 헐 시티가 참여한 이 투표에서 아스날(18표)이 압도적으로 토트넘(8표)과 반슬리(5표) 등을 상대로 승리하면서 1919-1920 시즌 1부 리그에 참여하게 된 것이다. 자연스레 토트넘과 나머지 2부 리그 팀들은 모두 2부 리그에서 다음 시즌을 보냈다. 이 행운의 사건부터 아스날은 현재까지 단 한 번도 2부 리그로 강등되지 않았고, 이는 프리미어리그 최고 기록이다.

이 사건 이후로 더욱 더 두 팀의 감정을 격화시키는 일들이 있었다. 2000-2001 프리미어리그가 끝난 후 토트넘의 주장이었던 솔 캠벨이 계약이 만료된 상황에서 재계약을 하지 않으려고 하면서 토트넘의 팬들을 매우 불안하게 했다. 이적료 없이 주장이 타 팀으로 이적하게 되면 그보다 더 치욕스럽고 기분 나쁜 일은 없으니까 말이다. 그런 중에 캠벨은 "재계약도 할 수 있고, 이적도 할 수 있다. 세리에A 빅 클럽들과 맨체스터 유나이티드, 리버풀 등에서 요청이 왔다. 어찌되었건 아스날은 아니다."라고 말하면서 토트넘 팬들을 안심시켰다. 팬들은 "타 팀에서도 좋은 활약을 보이길 바란다. 당신은 영원한 토트넘의 레전드다."라면서 훈훈한 분위기를 만들어 냈다. 그런데 며칠 후 캠벨은 아스날과 계약을 한다. 일부 훌리건들은 살해 협박까지 했다. 캠벨은 아스날로 이적한 그 시즌에 바로 프리미어리그와 FA컵 더블을 달성했다. 이후 포츠머스로 이적한 후에도 화이트 하트레인(토트넘의 홈구장)에서는 야유를 받았다.

이후에는 반대로 아스날에서 FA 자유계약 신분이었던 윌리엄 갈라스가 토트넘과 계약한 일이 있었다. 하지만 격분한 캠벨 이적 당시의 토트넘 팬들과는 달리 아스날 팬들은 '잘 됐네.'라는 반응이다. 이어서 에마뉘엘 아데바요르도 아스날에서(맨체스터 시티를 거쳐) 토트넘으로 이적했는데 별 신경을 쓰지 않았다. 그런데 아스날을 상대로 득점 후 아스날 팬들이 있는 곳으로 질주하여 자극하는 세레머니를 펼치기도 했다.

O - Old Kits Story (유니폼 이야기)

아스날은 프리미어리그 팀 중 아름다운 유니폼을 가진 팀으로 꼽힌다. 빨강-하양 조합을 사용하는데 검정색을 섞어 넣고 V무늬 등을 집어넣는 맨체스터 유나이티드와 빨강-빨강 조합의 리버풀, 빨간색과 하얀색의 줄무늬를 넣어 사용하는 스토크시티, 선덜랜드 등 타 팀들 보다는 조금 더 간결하고 단조로운 미를 가지고 있다.

원정 유니폼은 1940년대부터 1960년대까지는 하양-하양 조합을 이용한 '올 화이트'의 유니폼을 입었다. 이후 본격적으로 상의는 노란색을, 하의는 파란색을 사용하여 만들었으며, 이는 2013-2014시즌에 착용하였던 '빅-히트 아이템' 원정 유니폼의 모티브가 되었다.

'아스날의 유니폼'하면 '하이버리 킷'을 빼놓을 수 없다. O2의 스폰서를 가슴에 달고 아스날 엠블럼을 그 위 정중앙에 박은 이 유니폼은 중고 거래 장터에서 단연 가장 비싼 유니폼으로 거래되고 있다. 2006년까지 이 유니폼을 입은 아스날은 이 시즌이 끝나고는 에미레이츠 스타디움으로 홈구장을 옮기게 된다. 이렇게 기나긴 역사를 지닌 하이버리 스타디움을 떠났고, 이 하이버리에서 마지막으로 입었던 '하이버리 킷'에 크나큰 의미를 두는 것이다. 자세한 내용은 뒤에 나올 U - Uniforms History에서 확인하기를 바란다.

P - Patrick, The Captain (캡틴, 패트릭 비에이라)

1990년대부터 박스 투 박스 미드필더(수비 진영의 페널티 박스부터 공격 진영의 페널티 박스까지 활동량이 엄청난 미드필더, 수비부터 공격까지 모두 가담하는 선수)로는 단연 최고였던 패트릭 비에이라는 강력한 피지컬을 바탕으로 활약하던 당시 최고의 미드필더 중 하나였다.

토니 아담스가 아스날의 유니폼을 벗어야 할 때가 오자 '과연 누가 아담스의 뒤를 이어 주장 직을 잘 이행할 수 있을 것인가.'에 대한 논쟁이 끊이지 않았다. 아르센 벵거는 고민하지 않고, 한 선수를 선택했다. 그가 바로 비에이라이다.

벵거가 이끌던 아스날의 역대 미드필더 중 가장 임팩트 있는 선수였다. AC밀란에서 자리 잡지 못하던 그를 영입하여 1997-1998 시즌의 프리미어리그와 FA컵 더블을 이루는데 엄청난 역할을 하게 했다. 또한 아담스의 주장 완장을 받은 그 해 2001-2002시즌에도 또 다시 더블을 이루어낸다. 2년 후에는 2003-2004 프리미어리그에서 주장으로서 무패우승에 핵심적인 역할을 했다.

하지만 그에게도 부정적인 면은 있었다. '깡패'라는 별명을 가졌다면 이유는 당연히 있기 마련. 아스날에서 꽤나 거친 플레이로 비판받았다. 하지만 이후 불같은 성격과 거친 플레이 스타일을 고치면서 '성공적인 주장'으로 자리 잡았다.

2010년 1월, 맨체스터 시티로 이적하여 두 시즌 활약하고는 현재까지 축구 개발부서에서 일하고 있다. 벵거는 아직까지도 "그는 아스날 최고의 미드필더였다."라고 말하며 "아스날뿐 아니라, 잉글랜드 축구에 미친 영향은 엄청나다."라고 하기도 하였다

Q - Quiz Time of Arsenal (아스날 퀴즈)

1. 잉글랜드 런던 출신의 선수로, '하이버리의 왕'이라는 별명을 가지고 있었던 선수는 누구일까?

2. 아스날의 구단주와 최대 주주는 누구일까?

3. 아스날의 1부 리그 우승 횟수는 13회이다. 그렇다면 이는 프리미어리그 팀 중 몇 번째 순위일까?

4. 아스날 선수들이 가진 국적이 아닌 것은?(2015년 기준)

① 미국 ② 웨일즈 ③ 체코 ④ 칠레 ⑤ 에콰도르

5. 아스날은 에미레이츠 스타디움을 지을 때 미래 세대에게 남길 여러 가지를 타임캡슐에 담아 묻었다. 이 중 타임캡슐 안에 있지 않은 것은 무엇일까?

① '미스터 아스날' 토니 아담스의 주장 완장

② 하이버리에서의 모든 경기 기록

③ 신기록을 세우고 자축하는 티에리 앙리의 사진

④ 역대 감독과 주장들의 사진

답) 1 - 찰리 조지 / 2 - 아스날 홀딩스, 스탄 크론케 / 3 - 3위 / 4 - ⑤(게디온 젤라렘은 미국, 아론 램지는 웨일즈, 페트르 체흐는 체코 그리고 알렉시스 산체스는 칠레 국적을 가지고 있다.) / 5 - ③(자축하는 이안 라이트의 사진이 있다.)

R - Rapid Star, No. 14 (14번의 빠른 별)

아스날에는 두 명의 '14번의 빠른 별'이 있다. 바로 티에리 앙리와 시오 월콧이다. 앙리는 K - KING HENRY에서 이야기 했으므로, 이번에는 월콧에 대해 이야기 해볼까 한다. 폭발적인 주력을 바탕으로 상대의 수비진을 곤혹스럽게 만드는 그의 별명은 '치달왕'이다. 최대 속력이 무려 36km/h로 엄청난 스피드를 보유한 선수다.

그는 1999년 지역 팀인 뉴버리에서 축구를 시작했다. 한 시즌간 무려 100득점에 성공하면서 스윈든타운 유소년 팀으로 이적했다가 사우스햄튼 유소년 팀으로 가게 되었다. 2004-2005 FA 유소년 컵에서 15세 175일의 나이로 최연소 출장 기록을 세웠다. 이어 다음 해인 2005-2006 프리미어리그에서는 23경기 2도움을 기록해 영국 방송사 BBC에서 수상까지 하였다.

2006년 드디어 아스날에 입성하게 된다. 이적 직후부터 매 시즌 꾸준한 활약을 보이면서 '간판 윙어'로 자리 잡았다. 상대의 측면 공간을 노린 '치고 달리기'는 아스날을 이끌었다. 2008년에는 '킹 앙리'의 번호인 14번을 달게 되었다. 2012년에는 앙리의 1:1 훈련을 받고 조언을 들으면서 엄청난 활약을 보였다. 이후 2012-2013 프리미어리그에서는 기존 단순한 드리블에서 이제 약발인 왼발까지 어느 정도 사용하면서 상대 수비진을 괴롭히고 있다.

아스날은 '2선 포화'라고 해도 무방하다. 세계적인 선수인 카솔라, 외질, 알렉시스 산체스는 물론이고 잭 윌셔와 램지까지 있기 때문이다. 이 사이에서 다시금 아스날의 보석으로 떠오르려면 스스로가 변화해야한다는 의견이 대다수이다.

S - Science of 4/16 (4/16의 과학)

프리미어리그는 4위, 챔피언스리그는 16강이라는 성적을 유지하여서 '이 정도면 과학이다.'라는 뜻에서 나온 일종의 징크스이다. 간간히 슬럼프가 있는 다른 리그 라이벌 팀들에 비해 계속해서 상위권을 유지한다는 사실은 충분히 좋은 점이지만, 결국 우승을 하지 못한다는 점에서 보면 딱히 기분 좋은 별명도 아니다.

2009-2010 프리미어리그는 첼시의 우승으로 막을 내렸다. 준우승은 맨체스터 유나이티드가, 3위는 아스날이 했다. 그렇게 그 다음 시즌인 2010-2011 프리미어리그부터 2013-2014 프리미어리그까지 무려 4년간 4위를 했다. 허나 2014-2015 프리미어리그는 3위로 마무리하며 4년 만에 4위 징크스를 깼다. 챔피언스리그는 또 어떤가. 2009-2010 챔피언스리그 8강에서 아스날은 바르셀로나를 만나 스코어 합계 3-6으로 패배, 탈락의 고비를 맛보았다. 그리고 2010-2011 챔피언스리그부터 2014-2015 챔피언스리그까지 무려 5년간 16강까지만 가는 과학을 선보이고 있다.

하지만 아스날을 위한 변명을 해주자면 아스날은 20세기 최고의 팀이다. 1부 리그에서 기록한 평균 순위는 8.5위로, 8.7위의 리버풀이나 10.6위의 에버튼, 10.9위의 맨체스터 유나이티드 등보다 좋은 기록이 아닐 수 없다. '꾸준한 팀'이라는 수식어가 아스날에게 제일 어울린다는 것이다.

다음은 20세기 리그 팀들의 평균 순위를 나타낸 표이다.

순위	팀	평균 순위
1	아스날	8.5
2	리버풀	8.7
3	에버튼	10.6
4	맨체스터 유나이티드	10.9
5	아스톤 빌라	12.5
6	토트넘 핫스퍼	13.2
7	뉴캐슬 유나이티드	14.4
8	맨체스터 시티	14.5
9	첼시	15.4
10	선덜랜드	16.6

지금 당장의 팬들에게는 '프리미어리그 우승 타이틀'이나 '챔피언스리그 우승 타이틀'이 필요할지는 몰라도 확실한 것은 아스날은 그 어떤 팀보다 꾸준하게 성적을 내온 팀이라는 것이다.

T - Tony Alexander Adams MBE is Mr. Arsenal! (토니 아담스는 미스터 아스날!)

무려 20년간 아스날의 유니폼을 입고 상대 팀의 공격을 원천 봉쇄하였던 토니 아담스는 아스날의 영원한 주장, '미스터 아스날'이라고 불린다. 게다가 잉글랜드 국가 대표팀에서도 활약하면서 아스날과 잉글랜드 역사상 최고의 수비수로 그를 꼽는다.

유소년 시절부터 성인 클럽까지 총 23년의 시간을 전부 아스날에서 보냈다. 그는 1983년 11월에 선덜랜드와의 데뷔전을 가진 그는 1985-1986 시즌부터 조지 그레이엄 체제 아래에서 주전으로서 입지를 다지면서 풋볼 리그 컵을 우승하게 된다. 우승에 일조하며 1988년 새해가 밝음과 동시에 주장이 되었다. 그 때부터 14년간 주장을 맡았다.

1990년대 아담스는 1990-1991 시즌에서 1패 우승을 만들었다. 그 바로 다음 시즌에는 리그 컵과 FA컵 더블을, 그 다음 시즌에는 UEFA컵 위너스 컵 우승을 이끌었다. 새로이 부임한 아르센 벵거 아래에서는 1997-1998 시즌에서 드디어 프리미어리그와 FA컵 더블을 달성하였다. 4년 후인 2001-2002 시즌에서도 더블을 달성하면서 기분 좋은 은퇴를 하게 된다.

좋은 모습만 보였을 것 같은 '미스터 아스날'은 경기장 밖에서는 별로 좋지 못한 모습을 보였다. 1980년대 중반에는 알코올 중독에 걸려 취한 상태로 싸움에 휘말리기도 하고 음주운전을 하기도 했다. 1993년 여름에는 리그 컵 결승전에서 골을 넣은 동료를 축하하려고 들어 올리다 떨어뜨려서 쇄골을 부러지게 하기도 하였다. 이어 그 시즌에는 술에 취한 상태로 경기를 한 것이 발각되어 엄청난 비난의 대상이 되었다.

하지만 많은 구너들의 응원과 벵거의 도움으로 알코올 중독에서 벗어나 완전히 새로운 모습으로 변했다. 새롭게 태어난 아담스는 맨체스터 유나이티드 등의 빅 클럽의 러브 콜도 뿌리치고 계속해서 아스날의 주장을 맡으며 '미스터 아스날'로 거듭나기도 하였다.

아스날에서 총 669경기에 출장하여 48득점을 기록하였고 프리미어리그에서만 무려 504경기에 출장하였다. 그는 1999년 대영제국 훈장 5등급(MBE)를 받기도 하였다. 그의 상징적인 번호인 6번은 비공식적 영구 결번이 되었지만, 이후 풀려나게 되어 이후 로랑 코시엘니가 '제 2의 토니 아담스'로서 활약하였다.

U - Uniforms History (유니폼 역사)

아스날은 프리미어리그의 팀 중 가장 아름다운 유니폼을 입고 경기하는 팀으로 유명하다. 아스날 유니폼의 역대 변천사를 알아보자. 다음은 아스날 공식 홈페이지에서 발표한 유니폼 역대 변천사이다.

1895
1905
1913
1919
1926

1927
1930
1932
1933
1936

1946
1956
1959
1961
1966

JVC
1967
1978
1981
1982
1984

JVC
1986
1988
1990
1992
1995

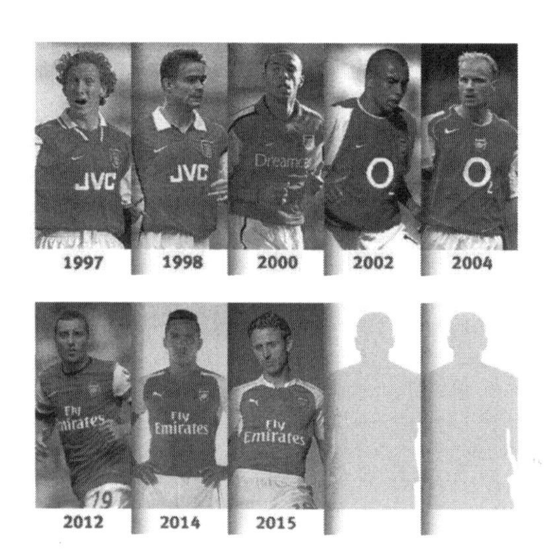
JVC
1997
1998
2000
2002
2004
Fly Emirates
2012
2014
2015

2005
2006
2008
2010
2011

V - Victoria Concordia Crescit (조화를 통한 승리)

아스날은 전통적으로 슬럼프에 빠지거나 팀에 좋지 못한 일이 있는 날이면 항상 다 함께 이 글귀를 마음에 새겼다. 'Victoria Concordia Crescit' 조화를 통한 승리라는 뜻이다. 아스날 유니폼을 비롯한 여러 용품에 쓰여 있는 문구이다.

리버풀의 YNWA(You'll Never Walk Alone : 당신은 결코 혼자 걷지 않으리), 뉴캐슬 유나이티드의 HTL(Howay The Lads : 선수들 힘내요!), 그리고 첼시의 WATB(We Are The Blues : 우리는 블루스다!)까지 프리미어리그의 많은 팀들은 그들만의 구호를 가지고 있고 실제로 현지나 여러 국내 커뮤니티에서도 많이 사용되고 있다. 하지만 아스날은 VCC가 많이 쓰이지 않는다. 그보다도 IAWT(In Arsene We Trust : 아르센 벵거 안에서 믿습니다.)라던지 KTF(Keep The Faith and Love Arsenal, 믿음을 지키고 아스날을 사랑하라.)와 같은 구호가 더 많이 쓰이고 있다.

아스날의 전통의 문구이자 특유의 승리 공식인 VCC를 널리 사용하였으면 하는 바람이다.

W - WENGER & CHAPMAN, the Great Leaders (아르센 벵거와 하버트 채프먼, 위대한 지도자들)

21세기의 아스날은 그야말로 벵거라고 할 수 있다. 1996년 9월부터 지금까지 아스날의 감독으로서 팀의 새로운 역사를 만들어가고 있는 장본인이다. 'Arsene, WHO?'(아르센이 누구야?)라는 기사가 헤드라인에 떴다. 부임 당시 언론들은 프랑스인이고 게다가 J리그에서 온 그를 비웃기에 바빴다. 게다가 아스날 팬들은 조지 그레이엄 정도의 영국인 감독, 못해도 스코틀랜드 출신 감독이 올 것이라고 확신하였기에 이 낯선 이름인 '벵거'에 대하여 좋은 반응을 보이지 않았다.

벵거는 축구계의 교수(Le Professeur)로서 세 번의 리그 우승과 여섯 번의 FA컵 우승, 그리고 클럽 역사상 최초의 챔피언스리그 준우승을 기록하였다. 게다가 두 번의 프리미어리그-FA컵 더블과 무패 우승까지 기록하였다.(그 세 시즌에는 단연 올해의 감독상을 수상했다.)

허나 패트릭 비에이라의 이적과 데니스 베르캄프의 은퇴, 티에리 앙리와 로베르토 피레스의 이적이 그에게는 뼈아프게 다가온다. 게다가 러시아의 석유 재벌인 로만 아브라모비치가 첼시를 인수하였고 만수르의 맨체스터 시티가 등장하였다. 거대 자본들이 프리미어리그로 하나 둘씩 들어오지만 새로운 구장인 에미레이츠 스타디움을 짓는 아스날 입장에서는 뭐 어떻게 할 도리가 없었다.

그런 위기의 순간에서 벵거의 선택은 '슈퍼스타를 사지 않고 만드는 것.'이었다. 세스크 파브레가스, 토마스 로시츠키, 마티유 플라미니 등의 선수들을 발굴하여 아스날을 살리고 이어 아론 램지, 잭 윌셔, 시오 월콧과 같은 선수들 역시 발굴하였다. 그 뒤에는 메수트 외질과 알렉시스 산체스, 페트르 체흐를 영입하는 데 가장 중요한 역할을 하면서 팬들의 응원과 기대를 받고 있다.

그렇다면 하버트 채프먼은 어떤가. 그가 아니었으면 지금의 아스날은 존재하지 않을 것이다. 축구의 역사를 바꾸어 놓은 채프먼은 아스날 역대 최고의 감독 중 하나로 벵거와 함께 뽑히고는 한다. 1930년대 아스날을 이끌었던 그는 10년이라는 어찌 보면 짧은 시간 안에 두 번의 리그 우승과 한 번의 FA컵 우승을 이끌어 냈다.

채프먼 아래 아스날은 1920년대 후반부터 1930년대 초반까지 엄청난 활약을 보였다. 그리고는 'WM 포메이션'을 선보이면서 그 활약에 기세를 더했다. 1931년에는 무려 127골을 득점하면서 우승을 차지했고 두 시즌 후 역시 100득점 이상을 성공하면서 우승을 차지했으나 채프먼은 55세의 나이인 1934년에 세상을 떠났다.

그의 집은 대영제국 문화유산으로 등록되어 보호받고 있으며, 2003년에는 잉글랜드 축구 명예의 전당에 올랐다. 채프먼은 아스날 팬은 물론이고 전 세계 축구 팬들에게 존경받아 마땅할 인물이라고 생각한다. 그 이유는 다음과 같다.

○ 'WM 포메이션'을 새롭게 도입한 것.

○ 관중들을 위해 흰 축구공을 도입하고자 한 것.

○ 유니폼 등에 선수들의 등 번호를 넣고자 한 것.

○ 축구화에 최초로 고무 징을 넣은 것.

○ 부상자를 위한 물리 치료사를 최초로 고용한 것.

벵거와 채프먼은 아스날을 강팀으로 만든 장본인이다. 55세의 나이로 세상을 떠난 채프먼도, 긴 시간동안 지휘한 벵거도 모두 대단한 감독임에 틀림없다. '감독'이라는 존재가 얼마나 중요한지를 느끼게 해 주는 두 아스날의 위대한 지도자였다.

X - X-FILE : No.9 (X-파일, 9번의 저주)

'팀 내 주 득점포'가 주로 다는 '주 득점포의 상징'인 9번이 의미하는 바는 공격의 마무리, 주 득점포 등과 같은 것이다. 하지만 아스날에게만은 아니다. 바로 '피해야 할 번호'이다.

1998년 프랑스 월드컵 골든슈의 주인공인 다보르 슈케르는 엄청난 기대를 모으며 아스날에 입단하였다. 팬과 벵거는 22경기 동안 그를 믿었지만 고작 8득점 밖에 성공시키지 못하면서 웨스트 햄으로 떠나고, 이어 9번을 달게 된 프란시스 제퍼스는 에버튼에서 꽤나 주목받던 유망주였다. 2001년에 아스날에 입단하여 두 시즌 동안 23경기 출전하였지만 총 8득점밖에 성공시키지 못하면서 역사의 뒤안길로 사라지게 된다. 이어 9번을 달게 된 주인공은 아르센 벵거가 영입을 추진한 호세 레예스다. 스페인에서 온 레예스는 두 시즌 동안 18골 25도움을 기록하면서 꽤나 준수한 활약을 펼쳤다. 하지만 계속해서 "고향으로 돌아가고 싶다."라면서 구단과 마찰을 빚었고 결국 향수병 때문에 훌리우 밥티스타와의 맞트레이드로 소원을 이루었다.

밥티스타는 단 한 시즌 만에 아스날에서 나가게 된 9번의 선수다. 선발과 교체 출장 합쳐 35경기 동안 고작 10골 4도움밖에 기록하지 못했다. 결국 이 9번은 브라질 출신의 에두아르도 다 실바가 이어받게 된다. 꽤나 좋은 활약으로 드디어 '9번의 저주'를 푸는 듯했다. 하지만 버밍엄과의 경기에서 심한 태클로 발목이 부러지는 부상을 당하였다. 세 시즌간 20골만을 기록한 채 결국 그도 떠나게 되었다.

이제 '9번의 저주'의 하이라이트이다. 어쩌면 이번 X - X-FILE : **No.9 (X-파일, 9번의 저주)**의 존재는 이 부분을 위해 만들어지지 않았나 싶다. AS모나코에서 엄청난 활약을 하던 박주영은 릴로 가려다 아스날의 하이재킹으로 깜짝 이적을 하게 된다. 당시 맨체스터 유나이티드의 박지성은 13번을 달고 있었기 때문에, 더욱 의미가 있는 번호인 '9번'을 받았음에 국내 팬들은 기대했다. 하지만 그

'의미'가 이런 '의미'인 줄은 몰랐을 것이다. 그 이전의 제퍼스, 레예스 등과 같은 선수들은 그나마 출장 기회는 보장받았다. 하지만 박주영은 벤치에 앉아있는 시간이 훨씬 길었다. 볼턴 원더러스와의 경기에서 꽤나 멋진 골을 성공시키면서 주전 자리를 얻는 듯 했으나, 지금껏 부상이 잦아 반 시즌만 뛸 수 있던 '半 페르시'가 시즌 전체를 소화할 수 있는 'FULL 페르시'가 되면서 주전 경쟁에서 밀리게 된다. 임대생 신분으로 왓포드와 셀타 비고에 다녀왔지만 결국 팀을 떠나게 된다.

이후 포돌스키는 이적 첫 해 리그 11골을 기록하면서 드디어 '9번의 저주'를 풀 듯 했다. 하지만 시간이 지나면서 2선 포화가 오고 공격수로는 올리비에 지루가 버티고 있었기에 점점 벵거의 계획에서 사라졌다. 2015년, 결국 인터 밀란으로 임대되었다가 갈라타사라이로 완전 이적한다.

내가 벵거라면 그 누구에게도 9번은 주고 싶지 않을 것 같다. 다른 의미에서의 '영구 결번'을 생각 해 볼 법도 하다. 징크스는 깨라고 있는 법이라지만 월드컵 골든슈 출신도 축구 천재 출신도 모두 망가져버리는 징크스에 누구를 또 희생시키라는 말인가? 결국 누군가는 아스날 유니폼에 9번을 다시 달겠지만 말이다. 어쨌든 그 '9번'과 싸울 '9번'의 선수를 응원한다.

Y - Youth Team (유소년 팀)

'콜로 투레, 훌리우 밥티스타, 애슐리 콜, 저메인 페넌트, 데이비드 벤틀리, 해리 케인, 키어런 깁스, 베니크 아포베, 프랜시스 코클랭, 토마스 아이스펠트, 게디온 젤라렘….'

위 이름의 공통점은 무엇일까. 아마 모든 아스날 팬은 눈치 채지 않았을까 싶다. 바로 아스날 유소년 팀 출신 선수들이다. 나이가 어린 선수들을 보는 안목이 좋은 아르센 벵거 감독 부임 이후로 아스날의 유소년 팀은 발전했다. 그 결과로 위의 여러 명의 선수들이 발굴되었다.

하지만 문제점 역시 존재한다. 같은 런던을 연고지로 있는 리그 라이벌 첼시는 꽤나 좋은 유소년 정책을 가지고 있다. 충분히 뛸 실력이 되는 선수이지만 팀 1군의 주전으로서 활약은 어려울 때 임대를 보낸다. 그렇게 임대를 보내면서 선수의 발전이 있으면 다시 1군에서 사용하면 된다. 첼시의 티보 쿠르트와는 이러한 정책의 대표적인 예이다. 첼시 유소년 팀 출신인 쿠르트와는 꽤나 좋은 활약을 펼치며 유소년 리그의 실력 이상이었지만 1군에는 페트르 체흐라는 세계적인 골키퍼가 있었기에 경기를 출장하며 경험을 쌓을 수 없었다. 따라서 첼시는 아틀레티코 마드리드로 그를 임대를 보냈고, 마드리드에서 세계적인 선수가 되어 첼시로 돌아온 그는 이제 아스날로 이적한 체흐를 제치고 '첼시 넘버 원'이 되었다. 허나 아스날의 유소년 선수들이 임대를 간 것을 보면 잉글랜드 3부 리그, 4부 리그 등과 같은 상대적으로 수준이 낮은 곳으로 주로 간다.

아스날의 유소년 팀은 단연 프리미어리그에서 세 손가락 안에 꼽힌다. 하지만 생각보다 이렇게 저렇게 지나가는 인재들이 많을 수도 있다는 점을 고려하면 어떨까.

Z - Zipper of Wenger (벵거의 지퍼)

아스날 A to Z의 마지막, Z이다. 마지막은 흥미롭게 끝내기로 하자. 2012년 겨울부터 벵거는 나이키에서 제작한 패딩을 입고 아스날을 지휘하게 된다. 그런데 지퍼가 잘 잠가지지 않아서 계속 고생하는 모습이 카메라에 자주 포착된다. 그런데 그런 사건이 2013년에도 발생하면서, 일부 팬들은 '나이키의 노이즈 마케팅 아니냐.'라는 의견도 나왔다. 2014년에 계약을 체결하여 2014-2015 프리미어리그부터 아스날의 용품을 제작한 퓨마는 SNS를 통해 "벵거 감독의 지퍼 문제를 최우선 순위로 두고 준비하겠다."라고 하였고, 결국 벵거의 지퍼 문제는 해결되었다. 퓨마는 문제없는 새로운 지퍼를 붙여 제작하였다. 홍보 동영상으로 '아르센 벵거의 퓨마 재킷'이라는 제목의 동영상도 제작하여 올렸다. 이에 대해 팬들은 "이래서 푸마와 계약한 건가?"라면서 흥미로운 반응을 보이기도 했다.

제2장 '런던 블루스' 첼시

CHELSEA FC

A - Abramovic, DES (양날의 검, 아브라모비치)

첼시는 프리미어리그에서 항상 우승 후보로 불리어 왔다. 하지만 아스날이나 맨체스터 유나이티드를 부술 정도의 실력은 되지 못했다. 하지만, 로만 아브라모비치가 등장하고 나서는 완전히 변했다.

어릴 때 부모를 잃고 할머니에게서 자란 그는 1980년대 석유 사업에 뛰어들고 1990년대에는 정유 생산 및 유통 회사를 설립하면서 신흥 재벌로 급부상했다. 2000년부터 8년간은 러시아 연방 추코트카 자치구의 주지사를 지내었다. 주지사 임기 중인 2003년에 첼시를 인수하여 빚을 갚아 주었고, 첼시는 이후 중상위권이던 팀 성적이 단숨에 상위권으로 올라가게 된다. 팀에 대한 애정이 엄청난 구단주로 유명하다.

하지만 이는 양날의 검으로 작용하기도 한다. 선수들과의 관계가 너무 가까운 까닭에 감독 교체가 잦고, 구단 운영과 선수 영입과 같은 문제에 너무나도 깊게 관여하기도 한다. 잉글랜드 축구는 전통적으로 감독이 선수 영입과 여러 업무에 관하여 모든 권한을 가지게 되어있다. 하지만 첼시 내부에는 스포르팅 디렉터(Sporting Director)라는 기술 이사직이 존재한다. 따라서 선수 영입이나 경기 외적인 부분에서 무언가를 결정할 때에는 상의를 해야만 한다.

문제는 첼시 내에서 감독과 이 스포르팅 디렉터 간의 사이가 좋지 않다는 것이다. 당시 조세 무리뉴와 카를로 안첼로티는 반대했던 영입을 스포르팅 디렉터와 아브라모비치가 밀어붙인 경우가 있다. 바로 안드리 셰브첸코와 페르난도 토레스이다. 감독 입장에서는 원치 않는 선수이기도 하고 자신의 계획에 들어있지 않은 선수이기 때문에 자연스럽게 선발에서는 제외되고, 이렇게 되면 이 선수의 영입을 진행하였던 스포르팅 디렉터와 반대하였던 감독의 사이가 더욱더 안 좋아지게 되는 것이다.

하지만 2015년 첼시의 스포르팅 디렉터인 마이클 에메날로는 무리뉴와 사이가 좋은 것으로 알려졌다. 또한 아브라모비치가 직접 무리뉴를 선임하면서 좋아지는 팀 분위기를 보이고 있다.

B - Blue Is The Colour (파랑은 색이지)

첼시에는 열성적인 팬인 '블루스'가 있다. 첼시가 홈경기를 하는 날이면 스탬포드 브릿지에 울려 퍼지는 몇 가지의 응원가를 소개하고자 한다.

1. Blue Is The Colour (파랑은 색이지)

Blue is the colour, football is the game. We're all together, and winning is our aim. So cheer us on through the sun and rain. Cause Chelsea, Chelsea is our name.

첼시의 응원가 중 가장 대표적인 응원가다. 큰 사랑을 받고 있는 이 응원가는 첼시하면 떠오르는 노래로 자리 잡았다.

2. No One Can Stop Us Now (아무도 우릴 막을 수 없어)

Chelsea! Chelsea! No one can stop us now. Chelsea! Boys in blue. Chelsea! Chelsea! We love you. Chelsea! Our love is true. No one can stop us now.

첼시는 강팀이고, 아무도 우리를 막을 수 없다는 내용을 담은 이 응원가는 당장 스탬포드 브릿지에서 파란색 유니폼을 입고 파란 깃발을 나부끼고 싶다는 생각이 든다.

3. Pride of London (런던의 자랑)

We're afraid of no one coz we're better than them all. 'Arsenal, West Ham, Place, Tottenham and Millwall.' (중략) We keep the blue flag flying when we take a trip up north 'Old Trafford, Hillsborough, Goodison, Anfield of course, Elland Road, St. James Park and at The Riverside'

상당히 가사가 흥미로운 응원가가 아닐 수 없다. 런던을 연고지로 하는 아스날, 웨스트 햄, 크리스탈 팰리스 등의 팀들을 언급하기도 하고 올드 트래포드, 힐스버러, 구디슨 파크, 안 필드 등을 언급하기도 하면서 어디서든지 파란 깃발을 휘날리겠다는 이야기를 한다.

4. We'll Keep The Blue Flag Flying High (우린 계속 파란 깃발을 하늘 높이 휘날린다)

From Stamford Bridge to Wembley. We'll keep the blue flag flying high. Flying high up in the sky. Keep the blue flag flying high.

스탬포드 브릿지부터 웸블리 스타디움까지 파란 깃발을 하늘 높이 휘날린다는 가사와 웅장한 음이 조화롭게 이루어진 응원가이다.

C - Captain's Armband is.. (주장 완장은 말이야..)

첼시는 대대로 위대한 주장을 두었다. 토미 로, 론 해리스, 스티븐 클라크 등의 주장이 첼시를 이끌었다. 첼시의 역대 주장은 쉽게 찾아볼 수 있다. 그런데 주장 완장을 한 번이라도 껴서 한 경기라도 그라운드에서 선수들을 이끈 사람들의 명단은 찾기 어려울 것이다. 그래서 준비했다.

〈첼시에서 주장 완장을 한 번이라도 차 본 선수들〉

윌리 페티 폴크, 데이비드 코플런드, 밥 맥로버츠, 지미 윈드릿지, 조크 카메론, 프랭크 피어슨, 피터 프라우드풋, 샘 다우닝, 프레드 타일러, 비비안 우드워드, 닐스 미델보에, 잭 헤로우, 존 프리스텔리, 앤디 윌슨, 알렉스 잭슨, 조지 스미스, 바쉬 바우어, 존 타운로, 조지 바버, 로버트 그리프트, 앨런 크레이그, 지미 아규, 샘 웨이버, 존 해리스, 렌 구을던, 윌리 스테펜, 토미 워커, 대니 윈터, 로이 벤틀리, 바비 캠벨, 빌 딕슨, 스탠 윌렘스, 켄 암스트롱, 데렉 사운더스, 스탠 윅스, 피터 실렛, 존 모티모어, 프랭크 업튼, 프랭크 플런스톤, 스탠 크루터, 론 틴델, 조니 브룩스, 바비 에반스, 존 실렛, 지미 그레이브스, 앤디 말콤, 바비 탐블링, 켄 셸리토, 테리 베네이블, 존 홀린스, 론 해리스, 토미 하머, 조 길컵, 토니 헤이틀리, 토미 발드윈, 마빈 힐튼, 에디 맥크레디, 앨런 벌체널, 데이비드 웹, 피터 보네티, 피터 오스굿, 게이트 웰러, 스티브 켐버, 레이 윌킨스,

둔칸 맬켄지, 믹키 드로이, 이안 프리튼, 개리 로케, 스티브 윅스, 존 범스테드, 콜린 페이츠, 토니 맥앤드류, 데니스 로페, 클리브 워커, 콜린 리, 조 맥러플린, 조이 존스, 나이젤 스팩맨, 피터 니콜라스, 그라함 로버츠, 데이브 비산트, 얼랜드 욘센, 앤디 타운센드, 데니스 와이즈, 비니 존스, 파울 엘리어트, 말 도나피, 가빈 피콕, 마크 휴즈, 루드 굴리트, 에디 뉴턴, 스티브 클라크, 프랭크 레보에우프, 구스타보 포옛, 지안프랑코 졸라, 마르셀 데살리, 크리스 수턴, 존 테리, 프랭크 램파드, 지미 하셀바잉크, 카를로 쿠디치니, 구드욘센, 윌리엄 갈라스, 클라우드 마케렐레, 미하엘 발락, 디디에 드록바, 애슐리 콜, 조 콜, 페트르 체흐, 마이클 에시앙 그리고 존 오비 미켈.

존 테리가 주장으로 선임된 후에도 램파드, 발락, 드록바 등 13명의 선수가 테리를 대신하여 주장 완장을 낀 적이 있다는 것을 알 수 있다.

D - Di Matteo for UCL (챔피언스리그를 위한 디 마테오)

첼시는 대대로 위대한 주장을 두었다는 것은 이미 이야기했다. 하지만 그만큼 위대한 감독을 두기도 하였다. 아스날의 레전드인 테드 드레이크, 맨체스터 유나이티드의 감독을 지내기도 하였던 데이브 섹스턴, '해피 원' 조세 무리뉴 등의 감독들이 첼시의 지휘봉을 잡았었고 잡고 있다. 그런데 이들이 가지지 못한 하나의 타이틀을 감독 대행의 자격인 디 마테오가 가지게 될 줄이야 누가 상상했을까.

1988년 FC 샤프하우젠에 입단하면서 프로 생활을 시작한 그는 라치오를 거쳐 1996년 첼시에 입단하게 된다. 홈 데뷔전이던 미들즈브러와의 경기에서 골을 터뜨리며 좋은 시작을 했고, 중하위권이었던 저번 시즌과 다르게 6위라는 성적을 거두면서 디 마테오라는 선수에 대하여 잉글랜드 축구 언론은 주목했다. 그의 별명으로는

'FA컵의 사나이'라는 별명이 있었는데, 1997년 FA컵 결승전에서는 42초 만에 골을 만들어냈고, 2000년 FA컵 결승전에서도 골을 넣었다. 부상으로 은퇴를 하고는 2002년 FA컵 결승전에서 선수단을 지도하기도 하였기 때문이다.

선수 은퇴 후 런던에서 레스토랑을 경영하면서 새로운 삶을 준비하였다가 뜻이 생겨 축구계로 복귀하면서 케인스 던스와 웨스트 브롬위치 알비온의 감독을 맡았다. 웨스트 브롬위치에서는 부임 첫해에 프리미어리그로 팀을 승격시키기도 했지만 이후 경질되었다. 안드레 빌라스 보아스 체제 아래의 첼시에서 수석코치로 활약하다가 빌라스 보아스 감독이 경질되자 감독 대행 직을 맡고 챔피언스리그에서는 나폴리와 벤피카, 바르셀로나, 바이에른 뮌헨을 차례로 꺾으면서 첼시 역사상 첫 챔피언스리그 우승을 했다.

이전 프리미어리그 2회 우승과 리그 컵 2회, FA컵 1회 우승을 만들어 낸 무리뉴와의 전술 스타일이 비슷하여 첼시의 정식 감독으로 선임되었지만 2012년 겨울, 계속해서 팀의 성적이 하향 곡선을 그리면서 유벤투스와 챔피언스리그 경기에서 0-3으로 완패한 후 경질되었다. 하지만 첼시 팬들의 입장은 "팀의 레전드이자 최초 챔피언스리그 우승을 만들어 낸 장본인을 경질하냐."라면서 후임 라파 베니테즈의 선임을 반대한다. 허나 결국 팀은 감독 교체에 성공하였고, 이후 베니테즈에 대한 야유는 엄청났다.

짧은 시간이었지만, 그는 올드 트래포드에서 패배한 적이 없고, 당시 최강이었던 펩 과르디올라의 바르셀로나에게도 패배한 적이 없다.

E - Emblem History of Blues (블루스의 엠블럼 역사)

첼시는 엠블럼이 화려하면서도 수수한 이미지를 가진 팀으로 유명하다. 푸른 원 모양에 장미, 사자가 들어가 있는 엠블럼은 사실 사용한지 얼마 되지 않았다. 첼시의 역대 엠블럼을 보자.

첼시 최초의 엠블럼이다. 1905년부터 1952년까지 무려 약 반 세기 동안 사용된 이 엠블럼은 첼시의 연금 수령자가 엠블럼 중앙에 자리 잡고 있다. 이 엠블럼의 이름은 Chelsea Pensioner(첼시 연금 수령자)로서 초창기 첼시의 별명인 'The Pensioners'에서 유래하였다.

이후 1952년부터 딱 1년간 사용된 엠블럼인데, 아스날의 레전드이자 첼시의 레전드인 테드 드레이크가 새로운 엠블럼을 원해 제작된 것이다. 'The Pensioners'에서 'The Blues'로 새로운 엠블럼을 출범시켰다. Chelsea의 C와 Football Club의 F, C가 방패모양 안에 자리 잡고 있다.

현재의 첼시 엠블럼과 가장 비슷한 형태를 띄고 있으며, 첼시 수도권 자치구 문양에서 영감을 얻어 만들어진 엠블럼이다. 1953년부터 1986년까지 사용된 이 엠블럼부터 사자가 들어가기 시작하는데 이는 클럽의 회장이자 첼시 자작의 지위를 가진 얼 캐도건의 문장에서 따온 것이다. 장미는 잉글랜드를 상징하며, 첼시가 잉글랜드 최고의 팀이라는 자부심을 드러내고 있다.

존 테리나 프랭크 램파드의 옛날 사진을 보면 자주 등장하는 엠블럼인데, 두 번째 엠블럼 속 'CFC'와 세 번째 엠블럼의 사자를 접목시켜 제작한 엠블럼이다. 프리미어리그를 비롯한 대부분의 축구팀들은 방패나 원 모양의 엠블럼을 가지고 있었지만 첼시만 독특한 엠블럼을 선보여 이목을 집중시켰다.

현재 첼시의 엠블럼인데, 창단 100주년을 맞아 이전 첼시 수도권 자치구를 형상화하기도 하였으며 기존 엠블럼을 연상시키는 엠블럼이다.

F - First Season in League (리그 첫 번째 시즌)

1877년 4월, 런던에 새로운 구장인 스탬포드 브릿지가 개장하게 된다. 이후 1904년 거스와 조지프 미어스 형제가 스탬포드 브릿지의 보유권을 얻게 되어 풀럼에게 사용을 제안하였다. 허나 풀럼은 이를 거절하게 되고, 새로운 클럽을 창단하기로 결정하였다. 그 클럽의 이름은 첼시 FC, 켄징턴 FC, 런던 FC, 스탬포드 브릿지 FC 이 네 후보 중 첼시 FC로 최종 결정되었다. 그렇게 첼시는 1905년 출범했다. 그들은 첫 감독을 재키 로버슨으로 선임하려 했지만 그는 지휘봉을 잡는 대신에 조건을 하나 내거는데, 그 조건은 바로 팀의 색을 '로열 블루'로 하라는 것이었다. 엠블럼부터 유니폼, 그리고 각종 용품은 무조건 파란색으로 사용하라는 것이었고 첼시가 이 제안을 받아드려 로버슨이 첼시의 초대 감독이 되게 되었다. 그들의 첫 경기는 1905년 9월 2일에 스톡포트 카운티와의 원정 경기이다. 후반전에 자책골로 패배하게 되면서, 팀의 시작이 패배였다. 하지만 이 첫 경기를 기점으로 연승했고, 첫 시즌에 2부 리그 3위를 기록하면서 성공적인 시즌이 된다.

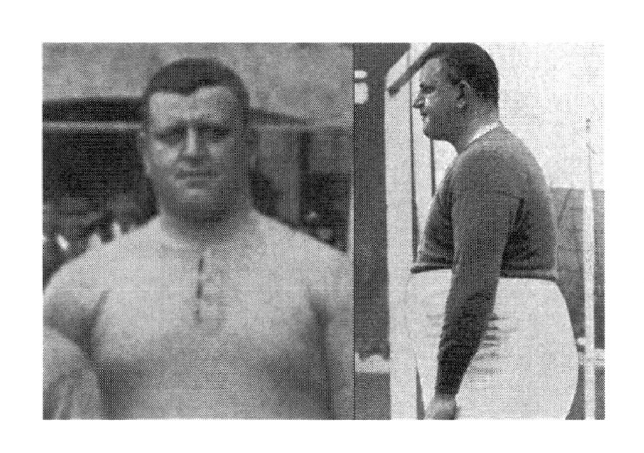

첼시의 첫 번째 시즌을 이야기 할 때에는 초대 주장인 윌리 '패티' 폴크를 빼 놓을 수 없다. 지금으로 생각하면 있을 수 없는 선수일지도 모른다. 193cm의 큰 키에 140kg이라는 거대한 아니 엄청난 체중을 가진 그는 첼시의 첫 번째 골키퍼이기도 했다. 사실 당시 축구 규칙에 골킥이나 코너킥이면 골키퍼가 직접 가지고 와야 하는데, 패티 폴크는 둔한 몸 때문에 그럴 수가 없어서 다른 사람들을 고용했다.(이것이 바로 볼보이의 시초가 되기도 했다.) 비록 한 시즌밖에 뛰지 못했지만, 리그 9경기 연속 무실점이라는 기록을 세우기도 한 그는 아직까지 팬들 사이에서 종종 이야깃거리로 등장하고는 한다.(이 기록은 약 100년 후 페트르 체흐에 의해 깨진다.)

G - Goal Record of EPL (프리미어리그 골 기록)

첼시의 프리미어리그에서의 각종 골 기록이다. 득점과 실점 기록을 모두 포함한 이 기록은 지금의 첼시를 만들었다고 해도 과언이 아니다.

○ 시즌 합 최다 득점 : 103득점(프리미어리그 최고)
○ 시즌 홈 최다 득점 : 61득점
○ 시즌 원정 최다 득점 : 46득점
○ 시즌 합 최소 실점 : 15실점(프리미어리그 최고)*
○ 시즌 홈 최소 실점 : 6득점(프리미어리그 최고)*
○ 시즌 원정 최소 실점 : 9득점(프리미어리그 최고)*

참고로 별 표* 세 항목은 모두 같은 시즌이다. 2005-2006 시즌인데, 이 때 첼시는 리그 우승과 커뮤니티 실드 우승을 차지했다.

H - History of Trophies (우승 기록)

첼시는 그 누구보다 화려한 우승 기록을 가지고 있다. 프리미어리그 최다 1위 기록을 가지고 있기도 하다.(최다 우승이 아니라, 시즌 중 1위를 했던 시간이 가장 길다는 뜻이다.)

○ 프리미어리그(1부 리그) 우승 : 5회 (1954-1955, 2004-2005, 2005-2006, 2009-2010, 2014-2015)

○ 챔피언십(2부 리그) 우승 : 2회 (1983-1984, 1988-1989)

○ FA컵 우승 : 7회 (1970, 1997, 2000, 2007, 2009, 2010, 2012)

○ 챔피언스리그 우승 : 1회 (2012)

○ 유로파리그 우승 : 1회 (2013)

○ 리그 컵 우승 : 5회 (1965, 1998, 2005, 2007, 2015)

○ 커뮤니티 실드 우승 : 4회 (1955, 2000, 2005, 2009)

○ 풀 멤버스 컵 우승 : 2회 (1986, 1990)

○ UEFA컵 위너스 컵 우승 : 2회 (1971, 1998)

○ UEFA컵 슈퍼 컵 : 1회 (1998)

참고로 첼시는 잉글랜드 프리미어리그의 어느 팀도 가지지 못한 'UEFA가 주관한 모든 메이저 대회(챔피언스리그, 유로파리그, UEFA 위너스컵, 슈퍼컵)'를 우승한 클럽이다.(타 리그에는 유벤투스와 아약스, 바이에른 뮌헨이 있다.)

I - In Chelsea? In Fullham! (첼시에? 풀럼에!)

** 이 부분에서는 축구 팀 첼시를 '첼시 FC'로 지역 첼시를 '첼시'로 표현한다. 또한 축구 팀 풀럼을 '풀럼 FC'로, 지역 풀럼을 '풀럼'으로 표현한다.*

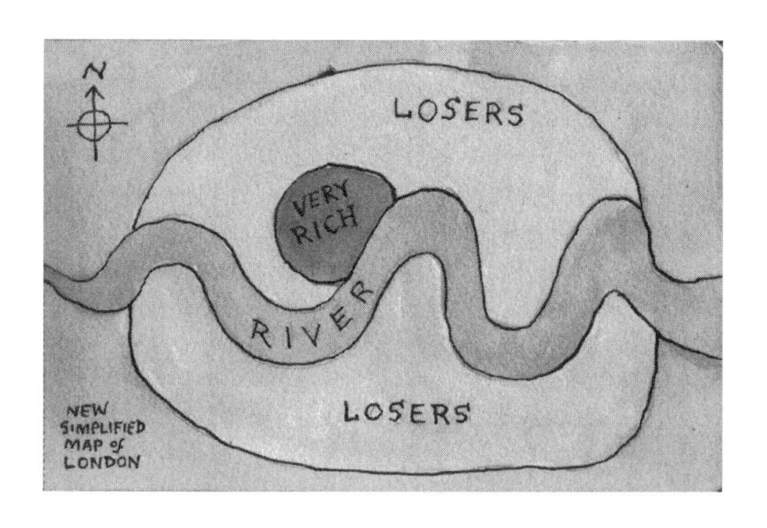

영국의 수도인 런던은 대한민국의 수도인 서울, 미국의 수도 뉴욕, 독일의 수도인 베를린 등 많은 나라의 도시들과 우호적인 관계를 맺고 있다. 이 런던 내 첼시는 런던의 부유층으로 유명하다. 그런데 첼시 FC의 시작은 노동계층에서 시작되었다. 왜 그럴까?

첼시가 속해있는 켄징턴-첼시 자치구는 영국 런던의 중심에서 강을 끼고 서남쪽에 있는 지역이다. 이곳은 미국인이 많이 사는 지역으로 유명하기도 하고, 런던 중에서 가장 비싼 지역이기도 하다. 하지만 흥미롭게도 첼시 FC는 켄징턴-첼시 자치구 내 첼시에 위치해 있지 않다. 바로 옆 위치한 풀럼에 자리잡고 있다. F - First Season (**첫 번째 시즌**)에서 이야기했지만 한 번 더 이야기 하자면, 1904년 거스와 조지프 미어스 형제가 런던 풀럼에 위치한 새로운 구장인 스탬포드 브릿지의 보유권을 얻게 되어 풀럼 FC에게 홈구장으로 사용 해 볼 것을 제안하였지만 풀럼 FC는 이를 거절하게 된다. 따라서 새로운 클럽을 만들게 되는데, 그 클럽의 이름이 첼시 FC가 된 것이다. 이해가 안 간다면, 이렇게 보자. 서울목동초등학교와 목동중학교, 목동고등학교는 이름만 서울'목동'초등학교, '목동'중학교, '목동'고등학교지 실제로 서울 양천구 목동에 위치하지는 않는다. 물론 엄청 가깝지만, 행정 구역상 양천구 신정동에 위치해 있다는 이야기다. 이처럼 첼시 FC도 물론 첼시와 가깝지만 첼시가 아니라 풀럼에 있다는 뜻이다.

결론은 잉글랜드 첼시에는 축구팀이 없다.

J - José, 'Special One' ('스페셜 원', 조세 무리뉴)

맨체스터 유나이티드의 알렉스 퍼거슨, 아스날의 아르센 벵거를 1990년대와 2000년대를 휘어잡은 프리미어리그 최고의 감독이라고 이야기를 한다. 하지만 이 퍼거슨과 벵거를 '움찔'하게 만든 사람이 있다. 바로 첼시의 보스, 무리뉴다.

무리뉴는 감독이 되기 전 바비 롭슨 감독 밑에서 그의 통역관으로 지냈다. 당시 바르셀로나의 지휘봉을 잡고 있었던 롭슨의 후임으로 반 할이 오게 되는데, 그 반 할 밑에서 역시 통역관으로서 활동하게 된다. 이 두 감독 아래에서 간간히 전술적인 부분에서의 의견이나 선수 영입에 관한 이야기를 나누곤 했는데, 이것이 추후 무리뉴에게 큰 힘이 되었다.

그가 지도자 생활을 시작하면서 내 건 신념은 '나만 믿고 따라와!'이다. 유프 하인케스의 후임으로 벤피카에 부임하지만 팀 내 상황이 좋지 않아 해임되었고, UD 레이리아를 거쳐 시즌 후반기만을 남겨둔 포르투의 감독을 맡게 된다. 남은 리그 경기에서 11승 2무 2패라는 좋은 성적을 거두면서 "다음 시즌은 챔피언이다."라고 했고, 27승 5무 2패로 정말 우승을 이루어냈다. 게다가 포르투갈 컵 우승과 유로파리그 우승까지 차지하면서 미니 트레블을 달성하였다. 이어 2003-2004 시즌에도 우승을 하면서 리그 2연패를 달성하고. 이번에는 맨체스터 유나이티드 등 유럽 전통 강호들을 이기고 챔피언스리그까지 우승 해 버린다. 이러한 활약으로 프리미어리그를 포함한 여러 빅 리그의 빅 클럽들은 무리뉴에게 러브 콜을 보낸다. 그의 선택은, 첼시였다.

부임 이후 첫 시즌이었던 2004-2005 프리미어리그에서 팀 50년 만에 우승을 이끈다. 게다가 리그 컵까지 우승을 하게 되면서 '전설의 시작'을 알리게 된다. 2005-2006 프리미어리그에서도 우승을 하면서 리그 2연패와 커뮤니티 실드까지 우승하면서 리그 최고의 감독으로 자리 잡았다. 하지만 선수 영입과 관련하여 보드진과의 마찰 때문에 결국 상호 계약 해지하였다. 이후 아브라함 그랜트와 루이스 스콜라리는 '첼시의 흑역사'를 만들어냈고, 첼시 팬들은 무리뉴를 그리워하게 된다. 마찰로 헤어진 사이였지만 팬들은 그에게 좋은 감정을 여전히 가지고 있었음은 사실이다.

인터 밀란과 레알 마드리드를 거친 무리뉴는 다시 첼시로 복귀한다. 무리뉴가 첼시로의 복귀가 확정되고는 한 2주일간은 무리뉴와 첼시에 대한 글이 각종 해외 축구 커뮤니티에 엄청나게 올라왔다. 2013-2014 프리미어리그는 무리뉴의 첼시 복귀와 함께 데이비드 모예스의 맨체스터 유나이티드 감독 부임이 있었기 때문에, 그 기대는 엄청났다. 그 해 맨체스터 유나이티드와의 자신의 142번째 프리미어리그 경기에서 100승을 달성했고, 이는 최소 경기 100승 기록이었다.(2위는 퍼거슨의 162경기 100승이다.) 또한 첼시로 챔피언스리그 4강에 올라가면서 4강 진출 횟수가 가장 많은 감독이 되기도 하였다.(2위는 역시 퍼거슨의 7회 진출이다.)

'무리뉴 2년차'라는 단어도 생겼다. 무리뉴가 한 팀을 맡고 2년이 되면 우승컵을 최소 두 개 이상은 들어 올린다는 이야기이다. 2003년의 포르투는 미니 트레블을 달성했고, 2006년의 첼시 역시 프리미어리그 우승과 커뮤니티 실드 우승을 차지했다. 이후 인터 밀란과 레알 마드리드 그리고 복귀한 첼시에서도 최소 두 개 이상의 우승컵을 들어올렸다.

감독으로 잉글랜드, 스페인, 이탈리아, 포르투갈 리그를 거치면서 모든 리그에서 우승을 차지한 무리뉴는 "내가 가장 행복한 사람(Happy One)이다."라고 말한다. 그렇다면 가장 행복한 클럽은 무리뉴를 가졌던 첼시가 아닐까.

K - Keepers of 2000s & 2010s (2000년대와 2010년대의 첼시 골키퍼들)

첼시는 운 좋게도 2000년대부터 지금까지 세계 최정상급 골키퍼 두 명과 함께했다. 바로 페트르 체흐와 티보 쿠르트와이다. 가장 먼저 체흐를 소개한다.

이케르 카시야스, 지안루이지 부폰, 줄리우 세자르와 함께 '2000년대 골키퍼 BIG4'로 꼽히는 체흐는 FK 크멜 블사니, 스파르타 프라하, 스타드 렌을 거치고 첼시에 입단하게 된다. 무리뉴 1기 시절의 첼시에서 카를로 쿠디치니의 부상을 계기로 주전을 꿰차게 되었다. 그 때부터 1025분 무실점이라는 대 기록을 세웠다.(이후 맨체스터 유나이티드의 에드윈 반 데사르가 이 기록을 6분 연장시켜 깼다.) 2006년, 레딩과의 경기에서 끔찍한 머리 부상을 당하고 2007부터 지금까지 그는 계속해서 헤드기어를 착용하고 있다. 부상에서는 회복되었지만 심리적인 문제가 작용하여 거의 벗지 않는다. 2014년에는 UEFA 슈퍼 컵 경기에서 바이에른 뮌헨을 상대로 엄청난 선방 쇼를 보였고, 첼시 역대 최다 클린시트 기록자가 되면서 첼시의 역사 속에 남게 된다. 하지만 아틀레티코 마드리드로 임대되었던 쿠르트와가 다시 돌아오면서 그의 자리는 위태롭게 되었다.

2014-2015 프리미어리그에서는 쿠르트와가 주전 자리를 차지했다. 체흐는 간간히 컵 경기나 쿠르트와의 체력 안배를 위해 기용되는 정도였다. 시즌이 첼시 우승으로 끝났지만, 체흐는 웃고 있을 수만은 없었다. 아직 30대 초반의 나이이고, 쿠르트와의 백업으로는 한 시즌으로 족하다고 체흐의 에이전트가 밝히면서 체흐는 같은 런던 라이벌인 아스날로 이적하게 된다. 데이비드 시먼과 옌스 레만을 잇는 '역대급 골키퍼'를 영입한 아스날은 기존 골키퍼들도 리그

수준급 실력을 가지고 있기에 행복한 고민을 하기도 했다.

그렇게 2014년을 기점으로 첼시의 골키퍼 장갑은 쿠르트와가 끼게 되는데, 첼시에서 아틀레티코 마드리드로 임대되어 성공적인 임대 생활은 물론이고 임대생 신분으로 세계적인 골키퍼 반열에 놀라 첼시를 기쁘게 한 장본인이다. 2011년부터 2014년까지 아틀레티코 마드리드에서 활약한 쿠르트와는 계속해서 임대를 연장하면서 첼시 복귀를 미루어 왔다. 하지만 2014-2015 프리미어리그를 앞두고 첼시로 복귀하여 체흐가 약 10년간 차지하고 있던 첼시의 주전 골키퍼 자리를 꿰찬다. 아직 확실한 안정성을 보이는 것은 아니지만 장래가 매우 기대되는 선수이기 때문에 매우 기대 받고 있다.

물론 2000년대 초반부터 지금까지 첼시의 골키퍼 장갑을 끼고 있는 선수는 더 많다. 그라운드에 나서지 못하는 것뿐이지 말이다. 2009년에 첼시에 입단하여 리그 경기 단 두 경기만을 뛴 로스 턴불도 있고, 팀에서 방출 당하고 1년 후에 다시 계약했던 엔리케 일라리우도 있다. 1993년생으로 잉글랜드 출신인 자말 블랙맨도, 2010년부터 무려 8회나 임대 생활을 하고 있는 마테이 델라치 모두 체흐와 쿠르트와의 그림자에 가려 빛을 보지 못한 선수들이다. 심지어 델라치는 크로아티아 U-15 대표팀부터 U-21 대표팀까지 차례로 엘리트 코스를 밟기도 한 유망주인데도 말이다.

델라치는 재계약 직후에 "첼시라는 빅 클럽과 계속 함께할 수 있어서 좋다."라면서 자신의 임대 생활에 불만이 없고, 첼시에 대한 애정을 SNS를 통해 드러냈다. 프로의 세계는 냉정하다. 허나 이들이 가지는 첼시에 대한 마음은 그 누구보다 따뜻하다.

L - London Avengers (런던 어벤져스)

이번에는 '런던 어벤져스'이야기다. 혹시 몇 선수들이 떠오르는가? 네 명의 선수들이 한 번에 떠오른다면, 정답이다. 2000년대를 대표하는 포지션 별 선수를 소개한다. 골키퍼 페트르 체흐, 수비수 존 테리, 미드필더 프랭크 램파드 그리고 공격수 디디에 드록바다. 첼시는 프리미어리그로 리그가 개편된 후 총 네 번의 우승을 차지했다. 그 중 이 넷이 활약한 시즌은 세 번이고 램파드를 제외한 체흐와 존 테리, 드록바가 활약한 시즌(2014-2015 프리미어리그)이 한 번 있다.

2004-2005 프리미어리그는 런던 라이벌인 아스날이 무패 우승을 이루어낸 후 아직 그 무패 행진이 끊이지 않은 상태에서 시작되었다. 하지만 첼시는 2위 아스날을 무려 12점 차로 따돌리고 우승을

차지했다. 다음 시즌인 2005-2006 프리미어리그 역시 우승을 차지했는데, 이번에는 2위 맨체스터 유나이티드를 역시 12점 차로 따돌리면서 우승을 차지했다. 에시앙의 영입으로 박스 투 박스에서 조금 더 자유로운 역할을 맡게 된 램파드는 16득점을 기록하면서 '미들라이커'의 면모를 보여주었다. 그렇게 무리뉴 1기 아래에서 두 번의 승리를 따내고 4년 후인 2009-2010 프리미어리그에서 램파드의 22득점 17도움(도움왕)과 드록바의 29득점 13도움(득점왕)에 힘입어 첼시가 우승을 하였다. 위건 애슬레틱을 8-0으로 격파하는 일도 있었다. 2000년대 첼시의 모든 우승은 '런던 어벤져스'와 함께였다.

2014-2015 프리미어리그도 '무리뉴 2년차' 마법과 이적생 디에고 코스타, 세스크 파브레가스 등의 활약에 힘입어 우승하게 된다. 아쉽게도 '런던 어벤져스'는 이 시즌을 마지막으로 완전히 해체된다. 이전 이적 시장에서 램파드가 뉴욕 시티로 이적하였다. 체흐는 티보 쿠르트와의 성장으로 주전 경쟁에서 밀리면서 아스날로 떠났고 드록바는 이제 파란 유니폼을 벗었다.

2000년대 이후 첼시를 이끌었던, '런던 어벤져스'는 이제 역사 속으로 사라졌다. 최고의 공격수인 드록바도, 첼시 역대 최다 득점의 기록을 가지고 있는 램파드도 그들의 뒤를 든든하게 지키던 체흐도 없지만, 이들은 블루스의 가슴 속에 영원히 남을 것이다.

M - 〈Més que un club〉 VS 〈We are the blues〉 (바르셀로나 VS 첼시)

세계 최강 팀이라고 불리는 바르셀로나와 첼시. 이 두 팀은 각각 스페인 프리메라리가와 잉글랜드 프리미어리그의 매 시즌 우승 후보로 거론되는 강팀이다. 이들이 경기로 만날 수 있는 방법은 이벤트성 경기, 자선 경기를 제외하면 챔피언스리그 밖에는 없다. 그렇게 그들은 챔피언스리그에서의 악연을 시작한다.

1999-2000 챔피언스리그 8강에서 첼시는 바르셀로나를 홈으로 불러들여 3-1로 대승을 거두었다. 무승부만 거둬도, 아니 한 점차 패배만 해도 첼시는 4강에 진출할 수 있었다. 하지만 바르셀로나에게 0-5로 패배하면서 4강 진출에 고배를 마셨다.

이후 두 팀은 2004-2005 챔피언스리그(라고 하면 떠오르는 경기가 있다면, 아마 꽤나 축구에 대해 관심이 많은 사람일거다.)에서 만난다. 16강전에서 만난 이들은 1차전에서 바르셀로나가 2-1로 승리하지만, 2차전에서 첼시가 4-2로 승리하면서 합계 스코어 '첼시 5-4 바르셀로나'로 첼시가 진출하게 된다.(그리고 승승장구하던 첼시를 막아선 팀은 바로 리버풀이고, 리버풀은 그렇게 '이스탄불의 기적'을 만들어 냈다.)

2005-2006, 2006-2007 챔피언스리그에서 연달아 만난 두 팀은 사이좋게 바르셀로나 한 번, 첼시 한 번 진출하게 된다. 그리고 2

년 뒤인 2008-2009 챔피언스리그에서는 희대의 오심이 등장하면서 '심판 매수'의 의혹까지 불러오게 된다. 심지어 인터넷에는 '오심 모음 동영상'까지 제작되어 유포되고 있으니, 이 경기의 오심이 얼마나 많았나를 알게 해준다. 사무엘 에투의 핸들링을 눈앞에서 보고 아무런 행동을 취하지 않은 주심. 그 주심을 따라다니던 미하엘 발락은 아직도 팬들 사이에서 회자되고 있다.

이러한 문제를 가지고 서로에게 좋지 않은 감정을 가지고 있던 양 팀은 3년 후 4강전에서 만난다. 당시 바르셀로나는 말로만이 아닌 '진짜 세계 최강'이었기 때문에 첼시 팬들조차도 첼시의 승을 점치는 자는 없었다. 첼시 홈에서 1-0으로 겨우 승리를 따낸 첼시였지만 말이다. 그렇게 정말 바르셀로나는 단숨에 스코어를 2-0으로 만들었다. 하지만, 바르셀로나의 간판 공격수 리오넬 메시가 페널티 킥을 실축하고 이어 하미레스의 역전골과 페르난도 토레스의 동점골로 2-2 무승부를 만들어내면서 합계 스코어로 결승전에 진출하게 된다.

각 리그를 대표하는 최강 두 팀이 챔피언스리그에서 자주 만난다는 것은 축구 팬으로서 즐겁지 않을 수가 없다.

N - Notable Manager (주목할 만한 감독)

지금의 첼시를 있게 만든 여러 감독들 중 주목할 만한 감독들을 소개한다. 주목할 만한 감독에 오르는 조건은 트로피를 하나 이상

따낸 감독이여야 한다.

감독	임기 기간	트로피
테드 드레이크	1952~1961	1부 리그, 채리티 실드
토미 도허티	1961~1967	리그 컵
데이브 섹스턴	1967~1974	FA컵, UEFA 위너스 컵
존 닐	1981~1985	2부 리그
존 홀린스	1985~1988	풀 멤버스 컵
보비 캠벨	1988~1991	2부 리그, 풀 멤버스 컵
루드 굴리트	1996~1998	FA컵
지안루카 비알리	1998~2000	FA컵, 리그 컵, 채리티 실드, UEFA 위너스 컵, UEFA 슈퍼 컵
조세 무리뉴	2004~2007 2013~	프리미어리그 3회, 리그 컵 3회, FA컵, 커뮤니티 실드 등
거스 히딩크	2009	FA컵
안첼로티	2009~2011	프리미어리그, FA컵, 커뮤니티실드
디 마테오	2012	FA컵, 챔피언스리그
라파 베니테즈	2012~2013	유로파리그

O - Osgood Is Very Good! (오스굿은 매우 좋아!)

1960년대부터 1970년대의 첼시라고 하면 피터 오스굿을 떠올려야 진정한 '블루스'다. 그는 유소년 팀에 입단하여 프로에 데뷔하였다. 데뷔 경기에서 2득점을 기록하고 엄청난 기대를 받은 오스굿과 가장 인연이 있는 대회는 단연 FA컵이다. 그는 1970년까지 FA컵 매 라운드 경기에서 득점에 성공한다. 특히 1970년 FA컵 결승전에서는 아스날과의 1-1 팽팽한 경기를 단숨에 뒤집어 놓은 강력한 발리 슛을 성공시키면서 우승 트로피를 가지고 왔다. 그는 무려 첼시

소속으로 332경기에 출장하여 150득점을 기록하였으며, 팀의 UEFA 위너스 컵 우승을 이끌기도 하였다. 안타깝게도 보드진과의 마찰로 사우스햄튼으로 이적했다. 이후 오스굿은 첼시로 복귀하지만 바로 강등당하고 만다. 그 시즌에 그의 기록은 2득점이지만, 마치 2014-2015 프리미어리그의 디디에 드록

바처럼 단순한 '전술 상의 다양성'을 추구하기 위한 선수는 아니었다. 팀의 정신적 지주이자 전설로서 선수단을 이끌었다.

스탬포드 브릿지에는 하나의 동상이 존재한다. 바로 오스굿이다. 기나 긴 클럽 역사 속에 유일한 동상이라면 그 의미를 잘 알 것이라고 생각한다.

P - Player of the Year (올해의 첼시 선수상)

1967년부터 첼시는 한 해간 좋은 활약을 보인 선수에게 올해의 선수상을 수여했다. 가장 많이 올해의 선수상을 받은 주인공은 세 번 수상한 프랭크 램파드다. 그리고 한 가지 더 말하자면, 2000년부터 L - London Avengers (**런던 어벤져스**)의 모든 멤버들이 다 이 상을 수상했다.

다음은 역대 올해의 선수상 수상자이다.

첼시 올해의 선수상				
피터 보네티 (1967)	찰리 쿡 (1968)	데이비드 웨브 (1969)	존 홀린스 (1970, 1971)	
데이비드 웹 (1972)	피터 오스굿 (1973)	개리 로케 (1974)	찰리 쿡 (1975)	레이 윌킨스 (1976)
미키 드로이 (1978)	토미 랭글리 (1979)	클라이브 워커 (1980)	페타르 보로타 (1981)	
마이크 필러리 (1982)	조이 존슨 (1983)	팻 네빈 (1984)	데이비드 스피디 (1985)	
에디 녜즈베츠키 (1986)	팻 네빈 (1987)	토니 도리고 (1988)		
그레이엄 로버츠 (1989)	켄 몽쿠 (1990)	앤디 타운센드 (1991)	폴 엘리엇 (1992)	싱클레어 (1993)
스티브 클라크 (1994)	엘란 욘센 (1995)	루드 굴리트 (1996)	마크 휴즈 (1997)	데니스 와이즈 (1998)
지안프랑코 졸라 (1999, 2003)	데니스 와이즈 (2000)	존 테리 (2001, 2006)	카를로 쿠디치니 (2002)	
	프랭크 램파드 (2004~2005, 2009)		마이클 에시앙 (2007)	
조 콜 (2008)		디디에 드록바 (2010)	페트르 체흐 (2011)	
후안 마타 (2012~2013)	에당 아자르 (2014~2015)	*WHO'S NEXT?*		

Q - Quiz Time of Chelsea (첼시 퀴즈)

1. 2006년 첼시와 아스날은 두 선수를 맞트레이드 했다. 첼시에서 간 선수와 첼시로 온 선수는 누구일까?

2. 다음 선수들 중 첼시와의 고별 경기에서 패배한 선수는?

① 존 홀린스 ② 피터 오스굿 ③ 찰리 쿡 ④ 론 해리스 ⑤ 지안프랑코 졸라

3. 첼시 최다 출장 선수는 누구일까?

4. 첼시 역사상 해트트릭을 가장 많이 한 선수는 누구일까?

① 지미 그리브스 ② 조지 힐즈던 ③ 보비 탬블링 ④ 케리 딕슨 ⑤ 피터 오스굿

5. 1996년, 첼시에 선수 겸 감독으로 임명된 첼시의 전설이자 AC 밀란의 전설은 누구일까?

답) 1 - 윌리엄 갈라스, 애슐리 콜 / 2 - ④(론 해리스와의 고별 경기는 첼시 패스트 XI와의 경기에서 0-1로 패배했다.) / 3 - 론 해리스(무려 795경기로 독보적인 1위다. 2위는 피터 보네티, 3위는 존 홀린스이다.) / 4 - ①(지미 그리브스는 169경기에 출장하여 13회의 해트트릭을 기록했다. 13경기마다 한 번씩 해트트릭을 한 셈. 2위부터 5위는 차례로 ②부터 ⑤이다.)/ 5 - 루드 굴리트(1995년에는 선수로 영입되고 1년 후에는 감독까지 임명된다.)

R - Religion of Blues (블루스의 종교)

전 세계의 첼시 팬들은 모두 하나의 종교를 가지고 있다. 그들은 2004년 신을 영접하여 지금까지 믿고 섬기고 있다. 심지어 이 신은 전쟁을 멈추기도 하였고, 믿는 자들에게는 엄청난 트로피와 보상을 주기도 하신다. 이 신은 누구일까?

정답은 '드록신'이다.

그는 코트디부아르와 첼시 그리고 프리미어리그 역사에 길이 남을 슈퍼 공격수로 '검은 예수', '드록신', '전쟁을 멈춘 사나이'등의 많은 애칭을 가지고 있다. 삼촌 밑에서 자란 드록바는 어릴 때부터 축구에 대한 열정이 남달랐다. 르망 UC72, EA 갱강, 마르세유 등에서 활약하다가 조세 무리뉴의 눈에 띄게 되었다. 무리뉴는 그를 포르투로 영입하려고 했으나 팀의 재정 상 실패했다. 그의 전술에 너무나도 맞는 선수이고 정말 탐나는 선수였으나 환경과 여건이 안

돼서 어쩔 수 없이 만나지 못한 것이다.

하지만 무리뉴가 첼시의 감독으로 부임하고 자금력이 생기자 바로 드록바를 영입한다. 2004-2005 프리미어리그 우승에 기여한 드록바는 2005-2006 프리미어리그에서 영어를 잘하지 못하는 에르난 크레스포와의 경쟁에서 이겼고, 결국 11도움을 하면서 프리미어리그 도움왕까지 차지했다. 팀은 드록바의 활약에 힘입어 우승을 차지했다. 그런데 첼시라는 팀이 드록바 하나로 공격진을 꾸리기에는 뭔가 부족한 느낌이었을까, 다음 시즌을 앞두고 안드리 셰브첸코를 영입한 첼시는 둘을 경쟁시키면서 우승을 노리고 있었다. 신기하게도, 드록바는 2004년 발롱도르 수상자인 '무결점 공격수' 셰브첸코와의 경쟁에서 이기게 된다.

2009년부터 본격적으로 '신'으로서의 활약을 보여주는데 리그에서는 32경기에 출장하여 무려 29득점을 올리면서 프리미어리그 득점왕을 따내었고, 역시 첼시는 우승하게 된다. FA컵의 2연패도 따내었다. 2011- 2012 챔피언스리그 4강에서 멋진 골을 기록하기도 하고, 챔피언스리그 결승전인 바이에른 뮌헨과의 경기에서 극적으로 동점골을 성공시켜서 승부차기까지 경기를 이끌었으며, 승부차기에서 역시 침착하게 득점하면서 팀의 최초 챔피언스리그 우승을 이끌었다.

그의 기록은 첼시 통산 330경기 165득점. 코트디부아르 국가대표팀에서도 역시 레전드이다. 104경기에 출장하여 65득점을 올렸으며, 심지어 코트디부아르의 내전을 막기도 한 그야말로 '신'이 아닐 수 없다. 드멘.

 S - Stamford Bridge 스탬포드 브릿지

아스날은 하이버리에서 에미레이츠 스타디움으로 경기장을 옮긴 적이 있지만, 첼시는 창단 이후로 한 번도 스탬포드 브릿지를 떠난 적이 없다. 1877년 4월 개장된 이 경기장은 그릇 모양의 둥근 형태를 취하고 있었으며, 무려 10만 명의 팬을 수용할 수 있었다.(물론 이후에 현대화 작업을 하면서 5만석의 규모로 줄인다. 2001년에는 비로소 전체가 좌석화 되었다.)

스탬포드 브릿지에는 하나의 동상이 세워져 있는데, 바로 O - Osgood is good! (**오스굿은 좋아!**)에서 소개한 피터 오스굿이다.

T - Talk About Chelsea (첼시에 대한 이야기)

"첼시는 언제나 나의 첫사랑이다. 나는 내 모든 선수생활을 스탬포드 브릿지에서 보내길 원했지만, 그러지 못했다. 나는 내 축구 심장에 첼시를 위해 특별한 자리를 늘 준비하고 있다."

- 테리 베너블스

"첼시의 이사가 되는 것은 내 인생에서 가장 멋진 일이다."

- 리처드 애든버러

"첼시의 색을 입는다는 것은 영광이다."

- 루드 굴리트

"나는 세계 최고의 감독은 아니다. 그런데 나보다 뛰어난 감독은 없다."

- 조세 무리뉴

"Blue Till I Die."

- 디디에 드록바

U - Uniform Main Sponsor (유니폼 메인 스폰서)

첼시는 1983년부터 유니폼 정중앙에 메인 스폰서를 달기 시작했다. 바레인에 본사를 두고 있는 걸프 에어와 계약을 맺었고, 한 시즌간 그들은 'GULF AIR'를 달고 경기를 했다. 하지만 이후 몇 년간 한 곳의 스폰서를 마련하지 못했고, 경기마다 다른 스폰서를 달고 뛰었다. 그러던 1987년에 '코머도어'와의 계약을 맺고 1993년까지 7년간 첼시의 유니폼을 장식했다. 이후 1993년부터 1년 사용한 '아미가'와 1994년부터 1997년까지 계약한 '쿠어스'를 거치고 1997년부터 '오토글래스'와의 계약을 통해 5년간 'AUTO GLASS'를 달고 뛰게 된다.

2001년에는 '에미레이츠 항공'과 계약하여 'Fly Emirates'를 달았고, 2005년에는 '삼성'과의 계약을 통해 'Samsung Mobile', 'Samsung'을 차례로 달면서 삼성은 금전적 이익을 많이 보았다고 한다. 그리고 몇 년 후, 4000만 파운드를 지원하겠다고 나선 기업이 있으니 바로 요코하마 타이어이다. 2012년 8월 국무총리 산하 대일항쟁기 강제동원피해조사 및 국외강제동원희생자 등 지원위원회가 발표한 299개 전범기업 명단을 살펴보면 요코하마 타이어가 국가공인으로 포함되어있다. 역사를 왜곡하면서 그들의 악행으로 성장한 기업이 첼시의 메인 스폰서라니, 조금 꺼림칙하다.

V - Vitesse (비테세)

비테세는 1892년 5월 창단된 네덜란드의 명문 클럽으로 에레디비지에서 활약하고 있는 구단이다. 첼시는 두터운 선수층을 효과적으로 활용하기 위해서 적극적으로 비테세로의 임대 정책을 펼치고 있다. 그 중 첼시와 비테세는 각별한 사이로 축구계에서 유명하다. 마르코 반 힌켈, 윌프레드 보니, 루카스 피아존과 같은 선수들이 모두 첼시에서 비테세로 임대를 갔거나 갔다 온 선수들이다.

첼시에서 온 선수들로 비테세는 매년 좋은 모습을 보였고, 15위서부터 2년 만에 4위까지 순위를 끌어올렸다. 2014-2015 에리디비지에서는 5위를 차지했다. 첼시는 성장할 만한 선수를 가지고 있지만 쓰지 못하는 입장이고, 비테세는 그러한 선수들이 오면 충분히 주전급으로 기용될 수 있는 상황이기에 두 팀은 서로 윈-윈 하면서 좋은 관계를 유지했다.

하지만 문제점은 역시 존재했다. 비테세의 구단주인 마렙 요르다니아가 첼시의 구단주인 로만 아브라모비치와의 관계가 좋지 않았는데, 요르다니아는 첼시에서 선수들이 한창 임대를 올 때인 2013년 가을에 갑자기 구단주직을 내려놓았다. 이후 아브라모비치는 그렇게 자신이 컨트롤하기 쉬운 치그린스키로 구단주를 바꾼다. 서류상으로는 치그린스키가 비테세의 구단주이지만, 사실 '바지 구단주'인 셈.

2013년까지 클럽 디렉터였던 테드 반 레우벤은 "첼시에게는 임대생들의 성장만 중요하고 우리는 안중에도 없다. 우리는 우승을 해야한다. 하지만 그렇지 못하고 있다. 비테세의 진정한 구단주는 첼시다." 라고 이야기했다.

 W - World Cup 2006 (2006년 월드컵)

'4년에 한 번 오는 세계인의 축제', 월드컵은 언제나 우리를 설레게 한다. 전 세계의 축구 꿈나무들의 최종 목표는 아마 조금씩 다를 테지만, 결국 월드컵 무대에 서보는 것이 아닐까. 월드컵 국가대표팀에 발탁되었다는 것은 당연히 '최고의 선수'라는 뜻이다. 이런 의미에서 첼시는 2006년 독일 월드컵과 인연이 깊다. 2006년에 독일에는 무려 17명의 블루스가 독일에 있었다.

다음은 2006년 독일 월드컵 각 국 대표팀에 소속된 당시 첼시 선수 명단이다.

존 테리, 프랭크 램파드, 조 콜, 웨인 브릿지(이하 잉글랜드), 미하엘 발락, 로베르트 후트(이하 독일), 히카르도 카르발료, 파울로 페레이라(이하 포르투갈), 윌리엄 갈라스, 클로드 마케렐레(이하 프랑스), 페트르 체흐(체코), 에르난 크레스포(아르헨티나), 마이클 에시앙(가나), 아시에르 델 오르노(스페인), 아르옌 로벤(네덜란드), 안드리 셰브첸코(우크라이나) 그리고 디디에 드로그바(코트디부아르).

X - X-Man : Torres (X-맨, 페르난도 토레스)

아틀레티코 마드리드에서 완장 속에 'You'll Never Walk Alone' 문구를 적어놓았던 그는 리버풀 최고 이적료를 경신하면서 2007년에 안 필드를 밟는다. 허나 2010년 남아공 월드컵 전후로 계속해서 리버풀에게 자신의 이적을 요구하고 결국 2011년 리그 라이벌인 첼시로 이적하게 된다. 이적하자마자 첼시는 엄청나게 많은 트로피를 들어 올렸다. 그러나 토레스가 팀에 기여한 정도는 '0'. 심지어는 프리미어리그에서 맨체스터 유나이티드와의 경기에서 골키퍼 데 헤아를 제치고 빈 골문에 성공시키지 못하면서 '토레기' 라는 별명이 붙기도 한다.

토레스가 첼시에서 정확히 50경기를 뛰던 날, 역시 골을 성공시키지 못하면서 50경기 5득점이라는 기록을 남긴다. 프리미어리그 10라운드부터 28라운드 경기까지 골을 성공시키지 못하면서 총 855분의 무득점 기록을 세웠으며, 전 세계의 팬들의 조롱과 비난을 받으면서 국가대표팀까지 탈락했다.

프리미어리그와 첼시의 '역대 최악의 먹튀(먹고 튀다-주급은 계속 받으면서 활약은 없다.)'인 토레스는 첼시에서 AC밀란으로 임대를 갔으며, 이후 완전 이적을 하였다.

Y - Yes, I'm Blues! (그래, 나 블루스다!)

전 세계의 첼시 팬은 몇 명이나 될까. 무려 약 1억 2,000만 명이라고 한다. 첼시가 우승한 2011-2012 챔피언스리그의 시청자수는 무려 1억 9,000만 명을 넘어섰다. 이 중 인터넷으로 시청한 시청자까지 포함하면 약 3억 명 정도 되리라 예상하고 있다. 게다가 첼시가 나오는 프리미어리그의 시청자수는 꾸준히 40억 명이나 된다고 한다. 첼시 구단 공식 페이스북을 '좋아요'누른 사람은 무려 약 4,300만 명으로 아스날 공식 페이스북(3,300만 명), 바이에른 뮌헨 공식 페이스북(3,000만 명), 리버풀 공식 페이스북(2,500만 명), 맨체스터 시티 공식 페이스북(1,900만 명) 등보다 높은 수치이다.

그렇다면 첼시를 응원하는 유명인들에는 누가 있을까. NBA의 최고 인기 센터였던 농구선수 케빈 가넷, 영국 전 수상 존 메이저, 유명 배우이자 코미디언인 윌 페렐, 쥬라기 공원으로 유명한 로드 리차드 애튼버러(현 명예 회장)까지가 열혈 블루스 명단이다.

국내에도 역시 존재한다. '첼지현'으로 유명한 국내 최고 해설위원 중 한 명인 장지현 해설위원부터 배우 소지섭과 김수로도 첼시 팬으로 국내 팬들에게 유명하다.

Z - Zola... (졸라...)

첼시에는 역사상 Z의 성을 가진 선수가 총 네 명이다. 1996년 팀에 입단한 지안프랑코 졸라부터 2001년에 입단한 바우더베인 젠던, 2009년 입단한 유리 지르코프 그리고 2014년 첼시의 유니폼을 입은 커트 조우마가 있다. 그 중 '첼시에서 누가 가장 뛰어났는가?'를 묻는다면, (조우마가 아직 많이 뛰지는 못했지만) 단연 졸라다.

선수 생활을 하면서 312경기에서 80득점을 성공시킨 졸라는 P - Player of the Year **(올해의 첼시 선수상)**에 나와 있듯이 1997년과 2003년에 올해의 선수상을 첼시에서 수상했다. 그리고 프리미어리그 이 달의 선수로는 1996년 12월과 2002년 10월에 선정되기도 하였으며 잉글랜드 축구 명예의 전당에는 2006년 헌액되었다. 1984년 축구 선수로서의 삶을 시작한 졸라는 토레스와 나폴리, 파르마 등을 거쳐 첼시로 입단했다. 팀에서 완벽히 '판타지스타'의 역할을 맡으면서 마라졸라(마라도나+졸라)라는 별명까지 가지게 되었다. 빠른 스피드는 물론이고 탈 압박 능력을 겸비한 드리블실력 그리고 감각적인 패스까지 모든 것을 완벽히 해내는 졸라는 첼시에서 7시즌 간 뛰었다. 25번이 영구결번으로 처리된 것은 아니지만, 그 이후의 25번은 없다. 그는 첼시에서 지안루카 비알리, 로베르토 디 마테오와 함께 '기억에 남는 세 명의 이탈리아인'으로 뽑히기도 한다.

제 3장 결코 혼자걷지 않을, 리버풀

LIVERPOOL FC

A - Anfield in Liverpool (리버풀, 안 필드)

잉글랜드 머지사이드 리버풀에 위치해 있는 리버풀의 홈구장인 안 필드는 이전에는 머지사이드 라이벌 에버튼 소유였지만, 임대료 문제로 구디슨 파크로 이전했다. 그 이후 리버풀이 안 필드에 들어오게 되었다.

안 필드는 '안 필드 로드 엔드', '센터너리 스탠드', '메인스탠드' 그리고 '콥'으로 만들어져있다. 안 필드 로드 엔드는 원정 팬을 위한 자리이고 센터너리 스탠드는 클럽 100주년을 기념하여 지어진 이름으로 우리 경기장의 '일반석'정도에 해당된다. '홈 응원석'인 콥은 힐스버러 참사 이후에 전 좌석화 되면서 규모가 축소되었고, 메인스탠드는 감독 석과 기자석을 비롯한 여러 업무를 볼 수 있는 좌석 약 12,000개가 있다.

리버풀은 새로운 경기장인 스탠리 파크를 새로 지으려 했지만 재정적 문제와 일부 팬들의 반대로 인해 안 필드를 증축하기로 한다.

B - Bill & Bob (빌 샹클리 그리고 밥 페이즐리)

지금의 리버풀의 명성을 가지게 해준 두 명의 위대한 감독이 있다면, 단연 빌 샹클리와 밥 페이즐리다.

"폼은 일시적이나 클래스는 영원하다.(Form is temporary, but class is permanent.)"라는 말을 남긴 빌 샹클리는 1959년부터 1974년까지 리버풀의 감독을 맡아 전성기를 이끈 최고의 감독이다. 감독으로 나선 경기가 무려 783경기면서 감독직에 있으면서 잉글랜드 축구팀으로서 가질 수 있는 거의 대부분의 트로피를 들었다고 해도 과언이 아니다. 1부 리그와 2부 리그의 우승은 물론이고 채리티 실드와 FA컵, UEFA컵까지 우승을 했다.

빌 샹클리의 후임으로는 밥 페이즐리가 들어왔다. 1954년에 현역 은퇴를 선언한 밥 페이즐리는 리버풀의 물리 치료사, 트레이너, 코치를 거치면서 감독까지 임명되었다. 감독으로 535경기에 나서서 빌 샹클리보다 더 많은 트로피를 들었다. 무려 19개의 트로피이다. 채리티 실드부터 1부 리그 우승, UEFA컵, 리그 컵, 유러피언 컵까지 총 19개의 트로피를 들어 올렸다는 이야기다. 맨체스터 유나이티드의 전설적인 감독으로 아직까지 칭송받고 있는 알렉스 퍼거슨 감독이 한 시즌당 1.46개의 트로피를 들어올렸다. 하지만 밥 페이즐리는 한 시즌당 2.22개의 트로피를 들어올렸다.

빌 샹클리는 1981년에, 밥 페이즐리는 치매 진단을 받고 1996년 세상을 떠났다. 하지만 리버풀 팬들에게 아직 빌 샹클리와 밥 페이즐리는 영원히 그들의 매니저이고 지도자고 감독이다. 이 두 명의 위대한 감독을 둔 콥들은 정말 행운이 아닐 수 없다.

C - Carra & Stevie (캐라와 스티비 : 캐러거와 제라드)

앞서 두 명의 위대한 감독을 소개했다면, 이번엔 두 명의 위대한 선수다. 제이미 캐러거와 스티븐 제라드는 같은 리버풀 유소년 출신으로, 리버풀의 심장이라고 불리기도 한다.

캐러거는 1994년부터 2013년까지 (1년을 제외하면)리버풀의 유니폼만을 입고 뛴 수비수로 맨체스터 유나이티드의 리오 퍼디난드, 첼시의 존테리와 함께 2000년대 최고의 중앙 수비수로 꼽히고 있다. 1996년 1군에 합류하여 빠른 판단력과 선수 장악력으로 수비진의 리더 역할을 톡톡히 해내었다. FA컵 유소년 컵 우승의 주역으로 인정받아 1군에 합류한 캐러거는 2008년에는 리버풀 500경기 출장을 돌파하였고, 그 500경기 동안 중앙 수비수부터 측면 수비수, 수비형 미드필더, 중앙 미드필더까지 다양한 포지션에서 팀을 위해 뛰었다. 캐러거와 함께한 리버풀은 무려 11번의 트로피를 들어올렸다.

캐러거가 리버풀의 유니폼을 입기 7년 전부터 이미 제라드는 리버풀의 유소년 선수였다. 1987년 리버풀 유소년으로부터 시작해 100년이 넘는 리버풀 역사상 최고의 주장이자 최고의 선수로 꼽히는 제라드는 23세라는 어린 나이에 사미 히피아가 차던 주장 완장을 물려받고 팀을 이끌어 나갔다.(잉글랜드 축구대표팀의 주장까지 맡았으니 그의 리더십은 전 세계가 인정했다.) 2003년부터 2015년까지 무려 13년간 리버풀의 주장으로서 리버풀의 희로애락을 함께 했으니 어찌 콥들이 제라드를 싫어할 수 있을까.

D - Devils VS Kops, North-West Derby (**데빌스 VS 콥, 노스웨스트 더비**)

프리미어리그에서 가장 치열한 더비 중 하나로 꼽히는 리버풀과 맨체스터 유나이티드의 노스웨스트 더비는 매 시즌 많은 이슈를 남기는 프리미어리그의 대표적인 더비다. 대부분의 라이벌이 지역감정에서 이루어지듯이 리버풀과 맨체스터 유나이티드도 역시 산업혁명으로 인한 지역 감정 격화가 이 둘을 라이벌로 만들었다. 리버풀은 항구도시로 맨체스터는 공업도시로 발전하며 리버풀은 맨체스터에서 오는 상품을 받아 중계이익을 챙겼다. 허나 맨체스터에 운하가 개통되면서 리버풀이라는 도시는 점점 쇠퇴의 길을 걷게 된다.

리버풀은 FIFA 주관 공식 대회에서 총 44회의 우승을 차지했지만 맨체스터 유나이티드는 42회 우승으로 리버풀이 앞선다. 챔피언스리그도 리버풀 5회, 맨체스터 유나이티드 5회로 리버풀이 앞서고 맨체스터 유나이티드가 한 번도 든 적 없는 UEFA컵을 리버풀은 세 번이나 들어 올리면서 유럽 클럽 대항전에서는 리버풀이 우세를 보인다고 할 수 있다. 허나, 잉글랜드 안으로 들어오면 1부 리그(프리미어리그 포함) 우승 횟수 20회의 맨체스터 유나이티드가 18회의 리버풀을 앞서고 FA컵 역시 11회의 맨체스터 유나이티드가 7회의 리버풀을 앞선다. 이렇게 유럽 대회에서는 리버풀이, 잉글랜드 대회에서는 맨체스터 유나이티드가 앞선다고 볼 수 있다.

역대 전적을 보면 맨체스터 유나이티드가 약간 우세하지만, 팀의 승리만큼 무승부도 많은 것을 보아 이 더비 경기가 얼마나 치열한지 짐작할 수 있다.

선수들 간의 라이벌 의식도 이들의 치열한 더비 경기에 한 몫 했다. 잉글랜드의 수비수였던 게리 네빌은 "리버풀 선수들은 잉글랜드 국가대표로 뽑지 마!"라면서 "나는 제라드한테는 공 안 줘!"라고 공개적으로 발언하였다. K리그로 치면 FC서울의 차두리 정도 되는 선수가 "수원 선수 뽑지 마!"라고 말 한 정도일 것이다.(물론 실제 차두리는 성격이 매우 좋고, K리그에는 이 정도의 몰상식한 발언은 없었다.) 세월이 지나서 루이스 수아레즈와 파트리스 에브라의 인종차별 논란도 있었다.

지금까지도 리버풀과 맨체스터 유나이티드의 더비는 단연 최고다. 다음 시즌, 다음 경기에는 어느 팀이 이길까. 늘 귀추가 주목된다.

E - Echo & T.I.A. (리버풀 에코와 This Is Anfield)

리버풀의 소식을 현지에서 가장 빨리 접할 수 있는 방법은 바로 리버풀의 지역 일간지인 〈리버풀 에코〉를 찾아보는 것이다. 〈리버풀 에코〉는 리버풀의 소식을 가장 빨리 전하는 소식지로서 리버풀의 정치, 경제, 날씨 등의 모든 소식을 전한다. 허나 축구 팬들에게는 단연 팀 리버풀의 소식을 전해주는 곳으로 유명하다. 물론 에버튼의 소식도 전하지만 리버풀의 소식이 질적으로나 양적으로나 뛰어나다.

그렇다면 국내에서 가장 빨리 접하려면 어떻게 해야 할까. '검은 것은 글자고, 흰 것은 종이요.' 영어로 된 〈리버풀 에코〉를 볼 수도 없고 다른 현지 언론사도 한글 기사를 제공하는 곳은 없으니 말이다. 그렇다면 지금 〈T.I.A.〉 커뮤니티로 가면 된다. 〈This Is Anfield, T.I.A.〉 커뮤니티는 국내 리버풀 커뮤니티 사이트로 '최근의 리버풀 이적 루머'나 '천국 이야기'등의 질 높은 글과 칼럼들로 유명해진 곳이다. 리버풀 안 필드 경기장의 상징 중 하나인 'This Is Anfield(여기가 바로 안 필드)' 액자가 있는 계단을 메인에 걸어 놓은 이 커뮤니티는 근래 리버풀에게 가장 뜨거운 시기였던 2015년 여름 이적 시장에 가장 발 빠르게 소식을 전하기도 하였다.

〈리버풀 에코〉와 〈This Is Anfield〉커뮤니티 모두 콥들의 살아있는 공간이다. 이들은 오늘도 리버풀의 선수들을 위해 움직인다.

[참고 - 〈This Is Anfield : 리버풀 서포터즈〉 네이버 커뮤니티 http://cafe.naver.com/liverpoolsupporters]

F - Five Minutes Miracle (5분의 기적)

당신에게 지금 5분이 주어진다면 무엇을 할 것인가. 혹자는 게임을 한 판 할지도, 혹자는 노래 한 곡을 들을지도 모른다. 허나 그 짧은 5분이라는 시간에 리버풀은 세 골을 몰아넣으면서 경기에 승리한다. 그리고 그 경기는 결승전이었다. 바로 2004-2005 챔피언스리그 결승전 말이다.

2004-2005 챔피언스리그 결승전은 잉글랜드의 강호 리버풀과 이탈리아의 강호 AC밀란이 맞대결했다. 당시 이스탄불에서의 단판 결승전이었는데, AC밀란은 에르난 크레스포, 안드리 셰브첸코, 카카를 비롯한 공격진과 클라렌스 셰도르프, 안드레아 피를로, 젠나로 가투소의 중원 그리고 수비진에는 파울로 말디니, 알렉산드로 네스타, 야프 스탐, 카푸가 자리잡고 있으며 골키퍼로는 디다가 장갑을 끼고 있는 그야말로 '세계 최강'의 멤버였다. 시간이 꽤나 흘렀지만 국내 팬들도 이들의 이름을 대부분 알 것이다. 하지만 리버풀은 당시 막 전성기가 오려던 선수들밖에는 없었다. 당시의 이름값으로

보자면 리버풀의 그 어느 선수를 가져다 놓아도 AC밀란의 선수들을 이길 수는 없었다.(제이미 캐러거는 주전 선수로서의 첫 시즌이고 사비 알론소 역시 첫 시즌, 스티븐 제라드는 젊었을 시절이었으니 말이다.)

모든 언론과 팬들, 심지어는 리버풀의 팬들까지 AC밀란의 우위를 점쳤다. 선발 명단만 봐도 당연한 경기였다. AC밀란은 시작한지 1분도 안되어 얻은 프리킥에서 득점하고 이어 전반 38분과 43분경에 크레스포가 골을 성공시키면서 0-3으로 전반전은 끝났다. 이렇게 경기는 끝난 줄 알았으나, 하프타임에서 당시 리버풀 감독인 라파엘 베니테즈는 이렇게 말했다.

"네 머리를 떨어뜨리지 마라. 피치에 올라갈 모든 선수들은 머리를 높게 들어야 한다. 서포터들을 위해 머리를 높게 들어야만 한다. 그들을 위해 해내야만 한다. 만약 고개를 숙인다면 자신을 리버풀 선수라 부를 수 없을 것이다. 만약 우리가 몇몇 기회를 만들면, 우리는 만회할 수 있는 가능성을 얻는 것이다. 우리가 할 수 있다고 믿으면, 우리는 그렇게 할 것이다. 영웅이 될 기회를 잡아라."

그렇게 후반전은 시작되었고 후반 8분경 제라드가 헤딩으로 1-3, 추격의 발판을 마련하고 2분 후 블라디미르 스미체르가 골을 성공시켰다. 그렇게 3분 후에 제라드가 얻어낸 페널티 킥을 알론소가 실축하였으나 디다가 막은 공을 다시 차 넣어 3-3 동점을 만들었다. 결국 90분 종료 시점에서 3-3 동점을 만들어낸 리버풀은 AC밀란과 연장전에 돌입하고, 연장전에서도 승부를 보지 못한 두 팀은 승부차기에 들어간다.

AC밀란	(승부차기)	리버풀
세르징요	X - O	하만
피를로	X* - O	시세
토마손	O - X	리세
카카	O - O	스미체르
셰브첸코	X* -	

앞서 AC밀란의 두 명의 선수가 실축하고 리버풀의 두 명의 선수가 성공하면서 리버풀이 승리하는 듯 했으나 세 번째 키커인 토마손이 성공키시고 리세가 실패한다. 카카가 성공시키고 스미체르 역시 성공시킨 그 순간, AC밀란의 다섯 번째 키커인 셰브첸코가 공을 보며 걸어 나온다. 허나 셰브첸코의 발을 떠난 공은, 리버풀의 골키퍼인 예지 두덱에 의해 막혔다. 정말 기적이 일어난 것이다. AC밀란에게는 악몽이었겠지만 리버풀에게는 기적이 아닐 수 없었다. 경기 해설위원은 이렇게 외쳤다. '챔피언스리그 컵이 잉글랜드로 돌아옵니다, 안 필드로 돌아옵니다! 리버풀이, 다시, 유럽의 챔피언이 되었습니다!'

리버풀의 팬이라면 꼭 다시 챙겨봤을 경기이다. 두덱의 현란한 발동작에 이은 셰브첸코의 실축은 아직까지 머릿속을 떠나지 않는다.

G - Goal, Captain and Player of the Year (득점, 주장 그리고 올해의 리버풀 선수)

'리버풀 역대 최고의 선수는 누구인가'라는 주제를 두고 이야기하고 있다면, 아래의 자료를 참고하라.

1. 골 기록

리그 최다 득점 : 로저 헌트(245득점)

FA컵 최다 득점 : 이안 러쉬(39득점)

리그 컵 최다 득점 : 이안 러쉬(48득점)

2. 리버풀 역대 주장

리버풀 역대 주장		
앤드류 한나	지미 로스	존 매카트니
해리 스토어러	알렉스 레이즈백	아서 갓다드
에프레임 롱워드	헤리 로우	도날드 맥킨레이
에프레임 롱워드	도날드 맥킨레이	톰 브롬밀로우
제임스 잭슨 주니어	톰 모리슨	톰 브래드쇼
톰 쿠퍼	맷 버스비	윌리 파간
잭 발머	필 테일러	빌 존스
로리 휴즈	빌리 리델	조니 윌러
로니 모란	딕 화이트	론 예츠
토미 스미스	엠린 휴즈	필 톰슨
그레이 수네스	필 네빌	알란 한센
로니 윌란	알란 한센	로니 윌란
스티브 니콜	마크 라이트	이안 러쉬
조 바네스	폴 인스	제이미 레드넵
사미 히피아	스티븐 제라드	**조던 헨더슨**

3. 올해의 리버풀 선수

올해의 리버풀 선수상은 2001-2002 시즌부터 수상하기 시작하였다.

다음은 올해의 리버풀 선수 명단이다.

올해의 리버풀 선수	
2001-2002	사미 히피야
2002-2003	데니 머피
2003-2004	스티븐 제라드
2004-2005	제이미 케러거
2005-2006	스티븐 제라드
2006-2007	스티븐 제라드
2007-2008	페르난도 토레스
2008-2009	페페 레이나
2009-2010	스티븐 제라드
2010-2011	루카스 레이바
2011-2012	마르틴 스크르텔
2012-2013	루이스 수아레즈
2013-2014	루이스 수아레즈
2014-2015	필리페 쿠티뉴

4. 한 경기 다섯 골

리버풀에서는 한 경기에 다섯 골을 뽑아 낸 선수가 역사적으로 5명 있다.

다음은 한 경기 다섯 골을 뽑아 낸 선수 명단이다.

한 경기 다섯 골		
존 밀러	1892.12.3	Vs. 플리트우드 로버스
앤디 맥기건	1902.1.4	Vs. 스토크 시티
존 에반스	1954.9.15	Vs. 브리스틀 로버스
이안 러쉬	1982.11.6	Vs. 루턴 타운
로비 파울러	1995.9.23	Vs. 풀럼

H - Heysel & Hillsborough (헤이젤과 힐스버러 참사)

역사적인 감독이었던 밥 페이즐리의 후임으로는 조 페이건이 결정된다. 그의 리버풀은 첫 시즌 3개의 트로피를 들어 올리며 트레블을 달성하지만, 프리미어리그의 우승은 하지 못한 상황이었기에 '미니 트레블'로 불린다. 허나 1985년, 리버풀의 시간은 멈춘다. 유럽 시간 기준, 1985년 5월 29일 유러피언 컵 결승전 장소는 벨기에의 헤이젤. 이탈리아 명문인 유벤투스와의 경기를 앞둔 리버풀의 훌리건은 유벤투스 팬들에게 난동을 부리기 시작한다. 그들 사이에 설치되어있던 그물망을 찢고 유벤투스 팬들에게로 달려들어 폭행했다. 결국 너무 과했던 탓에 39명이 사망하고 말았다. 리버풀과 유벤투스에게는 기억해야할, 가슴 아픈 일이었다.

리버풀의 참사는 이로 끝나지 않았다. 리버풀에게 4월 15일은 매우 특별하다. 힐스버러 참사가 바로 이 날에 있었기 때문이다. 헤이젤 참사가 있던지 4년 후인 1989년, 노팅엄 포레스트와의 FA컵 4강전 경기에서 일어났다. 지정석도 아니고 좌석이 따로 있는 것도 아니어서 모든 팬들이 일어서서 경기를 봐야 했고, 결국 수용 인원보다 훨씬 많은 팬들이 입장하면서 앞 철조망, 사람과 사람 사이 등에 깔리면서 96명이 사망했다. 최연소 사망자인 14세의 폴 머레이와 가장 연장자이자 남작 지위를 가졌던 제라드 패트릭(67세), 그리고 스티븐 제라드의 사촌 형인 10세 존 폴 길훌리를 비롯한 96명의 명복을 빈다.

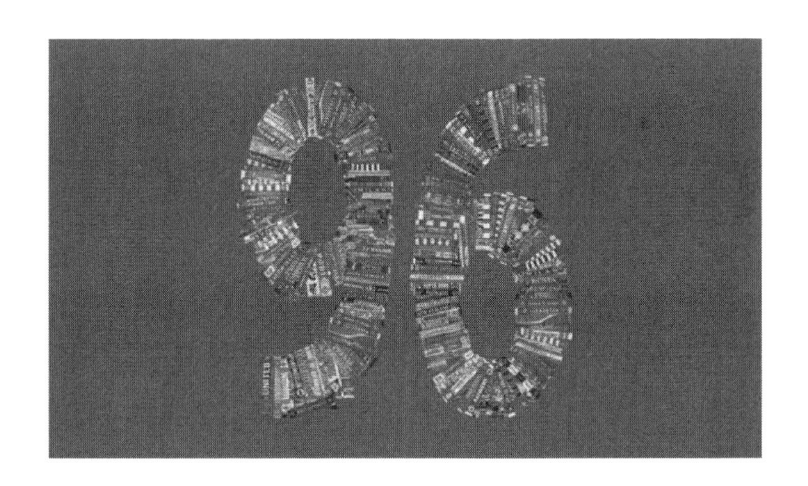

I - Ian, the Best Striker (최고의 공격수, 이안 러쉬)

에버튼의 팬인 한 소년이 리버풀의 유니폼을 입고는 세월이 지나면서 통산 25득점을 기록했다면, 그는 이안 러쉬다. 1979년 체스터 시티에서 선수 생활을 시작한 그는 두 시즌 후에 리버풀로 이적하여 1부 리그 4회 우승, FA컵 1회 우승, 리그 컵 4회 우승, 채리티 실드 3회 우승이라는 엄청난 성적을 8년 만에 낸다. 리버풀의 전성기라고 할 수 있는 시기를 케니 달글리시, 그레이엄 수네스 등과 함께 보낸 그는 1983-1984 시즌에서 32득점을 했으며 1984년 유러피언 골든슈를 받기도 했다. 유벤투스에서 1년 뛰다가 다시 리버풀로 복귀하고는 1부 리그 1회 우승과 FA컵 2회 우승, 리그 컵 1회 우승, 커뮤니티 실드 2회 우승에 공헌한다.

정리하자면 이안 러쉬의 리버풀은 총 1부 리그 5회, FA컵 3회,

리그 컵 5회, 커뮤니티 실드 3회, 유러피언 컵 1회를 들어 올림과 동시에 이안 러쉬는 PFA, FWA 등에서 수상하는 각종 상을 휩쓸고 대영 제국 훈장 5등급(MBE)까지 받았다.

리버풀의 유니폼을 입고 658경기를 소화하면서 총 346득점을 성공시킨 이안 러쉬는 지금까지 리버풀 공격수들이 닮아야 할 선수로 단연 뽑히고 있다. 이쯤 되면 눈치 챘겠지만, 이안 러쉬는 리버풀 역사상 최고의 공격수임과 동시에 최다 득점자이기도 하다.

J - Jose, Jordan and Joe (엔리케, 헨더슨 그리고 조 앨런)

2011년과 2012년에 걸쳐 리버풀의 유니폼을 새로이 입게 된 세 명의 'J'가 있다. 그들은 최근 리버풀에서 단연 핵심적인 역할을 하는 선수들이다.

육상선수 출신으로서 엄청난 스피드와 피지컬을 자랑하는 '황소' 호세 엔리케는 2004년 레반테에서 선수 생활을 시작한다. 이후 2년간 발렌시아 등 스페인 무대에서 경험을 쌓다가 2007년 여름 이적 시장에서 뉴캐슬 유나이티드로 이적한다. 허나 감독들의 신뢰를 받지 못한 엔리케는 결국 뉴캐슬과 함께 2부 리그로 강등되었다. 허나, 강등된 모습과는 다르게 2부 리그를 그야말로 씹어 먹듯 우승하고 '팬들이 뽑은 승격의 주역 선수 1위'로 뽑히기도 했다. 그런 그는 2011년 리버풀에 입단하게 되고, 처음에는 오른쪽 측면 수비수인 글렌 존슨을 왼쪽에 둘 정도로 안정적이지 못했지만 결국 부상을 거친 엔리케는 리버풀의 주전 수비수로 자리 잡았다.

다음은 선덜랜드에서 데뷔하여 2011년 리버풀로 합류한 조던 헨더슨이다. 사비 알론소와 밀란 요바노비치가 달았던 14번을 받고는 좋은 활약을 펼칠 줄 알았으나, 생각보다 좋지는 못했다. 허나 브랜든 로저스가 감독으로 부임한 이후로 엄청난 활약을 보이면서 팀의 에이스로 자리매김했고, 2013-2014 프리미어리그부터는 부상으로 이탈한 선수들의 자리를 완벽히 메우면서 가장 핵심 선수로 급부상했다. 또한 스티븐 제라드에 이어 리버풀의 주장이 되기도 하였다. 리버풀 팬들은 '제라드의 후계자'가 되어 줄 선수로 기대하고 있다.

마지막으로 '웨일즈 사비' 조 앨런은, 1999년 스완지 시티 유소년에 입단하여 2007년 프로 데뷔를 한다. 이후 당시 스완지 시티의 감독인 로저스와 함께 좋은 활약을 보이면서 승격을 만들어내고, 로저스만의 패스와 공 소유권을 내주지 않는 전술 속에 핵심적인 역할을 하면서 프리미어리그의 여러 팀들에게 좋은 인상을 남긴다. 2012년 런던 올림픽이 끝나고는 리버풀은 로저스를 선임하고, 로저스는 앨런을 바이아웃으로 영입하면서 앨런은 리버풀과의 5년 장기계약을 했다. ('최강희 축구'를 잘 이해하는 이동국이나 '홍명보 축구'(?)를 잘 이해(?)하는 박주영처럼)'로저스 축구'를 잘 이해하는 앨런은 리버풀의 미드필더로서 좋은 활약을 펼쳤다. 허나 헨더슨이 점점 성장하면서 출장 기회가 줄어들었고, 결국 앨런은 '슈퍼 서브'로밖에 자리 잡지 못한다. 충분히 실력이 있는데도 기회를 많이 잡지 못하는 것에 대하여 콥들은 아쉬운 마음을 감추지 못하기도 했다.

K - KING KENNY (킹 케니)

당신은 '리버풀의 가장 위대한 선수'라고 하면 누구를 뽑고 싶은가. 비록 시기상 보지 못한 사람들이 더 많겠지만, 리버풀의 역사를 조금이라도 아는 사람이면 많은 사람이 '킹' 케니 달글리쉬를 뽑지 않을까 싶다. 20년간의 선수 생활을 하면서 리버풀과 셀틱, 단 두 팀에서만 뛰었고 두 팀에서 모두 레전드 대우를 받는 달글리쉬는 셀틱을 거쳐 1977년 리버풀에 입단한다.

당시 '역대급 공격수' 케빈 키건의 대체자로 영입된 달글리쉬는 셔츠에 7번을 달고서 엄청난 활약을 보이게 되었다. 데뷔전이 무려 맨체스터 유나이티드와의 채리티 실드 경기였고, 1985년에는 당시 감독이었던 조 파간의 은퇴로 선수 겸 감독이 되기도 하면서 리버풀에 엄청난 영향을 끼치게 되었다. 허나 그 시기가 바로 H - Heysel & Hillsborough **(헤이젤과 힐스버러 참사)** 중 하나인 헤이젤 참사가 터진 직후였고, 상황이 상황인지라 팬들은 별 기대를 하지 않았으나 엄청난 기록을 세웠다. 1부 리그 8회 우승부터 FA 컵, 유러피언 컵, 리그 컵, 채리티 실드, 유러피언 슈퍼 컵을 총 합쳐 무려 23개의 트로피를 들어올렸다. 허나 그 영광도 잠시, H -

Heysel & Hillsborough (**헤이젤과 힐스버러 참사**) 중 남은 하나인 힐스러버 참사가 터지게 되면서 감독으로서 상황 복구에 힘쓰고 유족들의 장례식과 피해자들의 병문안을 다니면서 정신적으로 많이 힘들어지게 된다. 그리고 결국 그는 리버풀을 떠나게 되었다.

2009년, "리버풀이 저를 원한다면, 언제든지 돌아올 겁니다."라고 말하고 떠났던 킹 케니는 다시 리버풀로 돌아오게 된다. 그렇게 라파엘 베니테즈와 로이 호지슨이 차례로 경질되고 유소년 아카데미 감독이자 리버풀 대사였던 킹 케니가 팬들의 성원에 힘입어 감독에 선임된다. 그의 첫 번째 경기는 맨체스터 유나이티드와의 노스웨스트 더비. 비록 0-1로 패했지만 이후 변화된 팀 분위기를 보면서 팬들에게 많은 기대를 하게끔 하였다. 감독직에 있으면서 호세 엔리케와 루이스 수아레즈, 조던 헨더슨을 발굴했으나 찰리 아담이나 앤디 캐롤, 스튜어트 다우닝과 같은 '고비용 저효율'선수들을 영입하면서 많은 비판을 받게 된다. 결국 한 시즌 만에 킹 케니는 경질된다.

아쉽게 끝난 사이지만, 리버풀의 콥들은 여전히 달글리쉬를 '킹'으로 생각한다. 경질되고 1년 반 정도 지나 다시 리버풀을 위해 일하려 디렉터로 들어왔다. 그는 "계속 리버풀을 위해 일하고 싶다."라면서 리버풀에 대한 애정을 내비쳤다.

어떤 직책에 있든지 케니 달글리쉬는 콥들에게 '킹'임은 분명한 사실이다.

L - Liverbird (리버버드)

아스날의 상징 대포, 첼시의 상징 사자, 그렇다면 리버풀의 상징은 무엇일까. 맞다. 리버버드다. 리버버드는 사진처럼 리버풀에 있는 로얄 리버 빌딩의 가장 높은 곳에 위치하는 '리버풀의 전설적인 새'이다. 클럽 리버풀만의 상징이 아니라 도시의 상징이기도 한 리버버드는 처음에는 독수리였지만, 이후 리버풀에 많이 서식하는 가마우지로 바뀌었다고 한다.

이 로얄 리버 빌딩에 앉아있는 새가 1911년부터 앉아있었는데, 에버튼 팬들이 속설을 만들어냈는데, '이 새가 날아가기 전까지 리버풀은 FA컵 우승을 하지 못한다.'라는 내용이었다. 흥미롭게도 1965년 리버풀이 FA컵 우승을 차지했을 때 이 새는 청소를 위해서 해체되었다고 한다.

유명하지만, 이 리버버드는 리버풀의 엠블럼에도 들어가 있고, 본 책에는 리버풀 A부터 Z 부분을 구분하는 아이콘( )으로도 쓰인다.

M - Merseyside Derby (머지사이드 더비)

세계 최고의 축구 경기장 중 하나인 안 필드 경기장을 홈구장으로 사용 해 본 팀은 단 두 팀이다. 바로 리버풀과 에버튼이다. 상대 전적에서 리버풀이 약간 우세를 보이고 있지만, 에버튼은 리버풀을 만나면 유독 눈에 심지를 켜고 달려든다. 중학교 때, 유독 옆 반과의 경기에서 스토리가 많이 나오고 경기 내용이 흥미로웠던 적이 많았다. 이유는 모르겠지만, 유독 약했던 우리 반이 옆 반을 상대로는 꽤나 잘 싸웠다. 이처럼 그들의 라이벌 이야기도 그렇다. "다 져도 걔네한테는 안 져."

머지사이드 더비는 프리미어리그에서 가장 오래된 더비 경기이다. 안 필드의 이전 주인과 현재 주인의 싸움으로도 볼 수 있는 이 머지사이드 더비는 제1차, 제2차 세계 대전 이전으로는 에버튼이 우세하고, 그 이후에는 리버풀이 우세한 모습을 보인다.

그러나 이 머지사이드 더비의 다른 명칭은 프렌들리 더비다. 같은 학교를 나온 친구, 옆집 동네 이웃 심지어는 가족 사이에서도 응원팀이 달라 사이가 나쁘지 않다는 것이다. 서로 간의 문제가 있으면 이 노래를 부르고는 했다. 'He ain't heavy. He's my brother.' 이라면서 말이다. 우리말로 '괜찮아요. 우린 형제니까요.'정도 되겠다. 하지만 점점 갈수록 이 더비는 난폭해지고 악명 높은 더비로 떠올랐다. 1990년대 초반부터 두 팀 모두 각자의 명성을 유지하지 못하고 좋은 모습을 보이지 못하면서 서로 간의 관계가 매우 안 좋아졌다. '머지사이드의 축구'가 런던이나 맨체스터와 같은 강호들에게 눌려 열등감을 가지는 모습이었다. 그 것을 방출할 곳은 서로가 서로라고 생각한 듯싶다. 심지어는 일부 에버튼 팬들은 헤이젤 참사나 힐즈버러 참사를 조롱하기도 한다. 물론 일부지만 이런 모습 자체가 없었던 이들 사이에 조금씩 이런 모습을 보이는 것은 분명 서로에게, 머지사이드의 축구에게 좋지 않다.

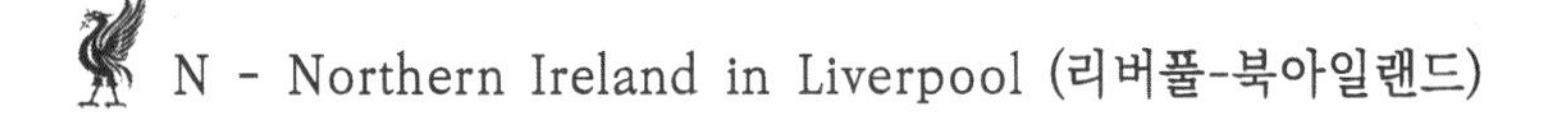

N - Northern Ireland in Liverpool (리버풀-북아일랜드)

리버풀은 대부분의 많은 감독과 주장을 잉글랜드와 스코틀랜드 출신으로 선임했다. 물론 잉글랜드인과 스코틀랜드인만을 선임하려 그런 것은 아니지만, 어떻게 하다 보니 역

사 속에서 북아일랜드인은 리버풀에게 흔치 않은 존재가 되었다. 참고로 북아일랜드의 인구는 총 181만 명이다. 대구광역시보다는 약간 적고 대전광역시보다는 약간 많은 인구 수이다.

첫 번째로, 리버풀의 최초의 감독인 존 매케나였다. 좋은 선수를 알아보는 눈을 가진 매케나는 당시 공동 감독이었던 윌리엄 바클레이보다 훨씬 더 리버풀 내에서 영향력이 있었다. 공식적으로 팀의 사무국장이면서 디렉터이면서 최초의 감독이기까지 한 매케나는 조금 더 축구감독을 전문적으로 할 수 있는 톰 왓슨을 감독으로 임명하고 본인은 리버풀의 행정을 돕다가 회장으로 두 차례 일하게 된다. 이후에는 잉글랜드 리그 전체의 회장이 되기도 하였다.

두 번째로 북아일랜드 카른로크에서 태어난 브랜든 로저스다. 로저스는 선수로서 벨리미나 유나이티드, 레딩 등을 거쳐 은퇴를 하였다. 2004년에는 조세 무리뉴 밑에서 첼시의 유소년 팀 감독을 맡기도 했다. 2008년 감독으로서 처음 왓포드의 지휘봉을 잡았고, 레딩을 거쳐 이후 스완지 시티의 감독이 되면서 그의 감독 생활이 피기 시작했다. 4-3-3 포메이션을 잘 적용시켜 티키타카를 영국 축구에 맞게 잘 활용하면서 웨일스 팀 최초의 프리미어리그 승격을 만들어낸다. 2012년 리버풀의 지휘봉을 잡으면서 조 앨런과 오사마 아사이디 등을 영입하면서 선수단 보강에 힘썼다. 또한 라힘 스털링을 발굴하면서 리버풀의 르네상스를 만들어내려 했지만, 부임한지 3년이 넘었는데도 백 쓰리 전술이 제대로 정착하지 못했음은 물론이고 전체적으로 스쿼드에 안정감이 없다는 이유로 그를 경질하자는 팬들의 움직임이 점점 거세지고 있다. 하지만, 2015년 여름 이적 시장에서 엄청난 영입을 선보이면서 다시금 팬들에게 좋은 모습을 보이기도 하였다.

O - Obscure Local Natives (잘 알려지지 않은 토박이들)

리버풀은 리버풀 토박이들, 그 중에서도 세계적인 선수를 많이 배출했다. 예컨대 로비 파울러나 스티븐 제라드, 제이미 캐러거와 같은 선수들 말이다. 허나 이 선수들도 리버풀 토박이였을 거라고는 생각을 못했을 거다.

638경기에 출장한 전설적인 수비수 토미 스미스, 269경기에 출장하여 7년간 중원을 책임졌던 지미 케이스, 333경기를 측면 수비수로 나서서 안 필드를 지켰던 개리 번.

P - PK Expert (승부차기 전문가)

리버풀을 비롯한 모든 팀들이 토너먼트 경기를 할 때, 가장 골치아픈 것은 승부차기이다. 2002년 한일 월드컵에서 8강전 스페인과의 경기에서도 무적함대 스페인이 이제 막 K리그가 발전하는 대한민국에게 패배한 것을 비롯해 여러 강팀들이 토너먼트에서 무릎을 꿇는 모습을 보면 대부분 승부차기에서 고배를 마시는 경우가 많다. 하지만 리버풀은 역대 승부차기에서 단 한 번(1993년 리그 컵,

윔블던과의 경기)을 제외하고는 전부 이겼다.

리즈 유나이티드, AS로마, 포츠머스, 버밍엄 시티 그리고 또 버밍엄 시티, 입스위치 타운, 토트넘, AC밀란, 웨스트 햄 그리고 첼시까지 '승부차기 전문가'인 리버풀의 희생양이 되어야만 했다.

Q - Quest! If You Want To Be The KOP. (만약 당신이 콥이 되고 싶다면, 퀘스트!)

당신이 진정 리버풀을 사랑하는 콥이라면, 죽기 전까지 아래의 퀘스트는 꼭 달성해야한다.

-1. 당신만의 '리버풀 역대 베스트 일레븐'을 생각해라.

-2. '이스탄불의 기적' 영상을 보라.

-3. 리버풀의 유니폼 세 벌 이상을 가지고 있어라.

-4. 안 필드 스타디움과 리버풀 박물관을 다녀와라.

-5. 안 필드 스타디움에서 'You'll Never Walk Alone'을 현지 팬들과 함께 목청껏 불러라.

R - Red, Team Colour (팀 칼라, 레드)

리버풀은 프리미어리그의 '붉은 팀' 중 하나이다. 하지만 그 '레드'는 리버풀만의 것이 아니다. 아스날, 선덜랜드, 맨체스터 유나이티드, 사우스햄튼, 스토크시티, 크리스탈 팰리스 등이 붉은 색을 유니폼에 사용한다. 그 중 리그 라이벌은 아스날, 맨체스터 유나이티드 정도이다. 주로 아스날과 맨체스터 유나이티드는 하의가 하얀색이었지만, 리버풀은 하의까지 붉은색인 경우가 많았다.

S - Shankly in Anfield (안 필드 속 빌 샹클리)

빌 샹클리는 B - Bill & Bob (**빌 샹클리 그리고 밥 페이즐리**)에서도 소개했지만 리버풀 역사상 가장 위대한 감독 중 하나이다. 비록 지금은 눈을 감았지만, 안 필드 안에는 아직도 샹클리가 여러 군데 남아있다.

가장 먼저, 안 필드의 가장 유명한 게이트인 '샹클리 게이트'이다. 스코틀랜드의 국기와 엉겅퀴 등 샹클리를 상징하는 것들이 이 샹클리 게이트를 장식하고 있으며 리버풀의 엠블럼과 'You'll Never

Walk Alone'이라는 자랑스러운 문구도 적혀있다.

또한 샹클리의 동상 역시 안 필드 주변에 있다. 콥 엔드 밖에서 조금만 더 가면 샹클리의 동상이 나오는데, 팔을 양 쪽으로 번쩍 들어 올린 제스처를 취하고 있다.(실제로 승리를 하거나 우승을 거둘 때 가장 많이 취했던 자세라고 한다.)

T - Traitors!! and Turncoats!! (배신자들!! 반역자들!!)

리버풀의 유니폼을 입고 그라운드를 누비며 멋진 골들을 팬들에게 선사하던 두 명의 공격수는, 지금 이 순간 리버풀에게는 '배신자'가 되었다. 성경에는 예수 그리스도를 배반한 '가롯 유다'가 있다면 리버풀에는 이 둘이 있다.

먼저, 2001년 발롱도르 수상자인 마이클 오웬이다. 스티븐 제라드와 함께 리버풀 유소년 출신으로 1996년에 프로 데뷔를 하면서부터 바로 주전 공격수가 되면서 몸값이 갑자기 수직상승한다. 19세에 득점왕까지 수상하고 21세에 발롱도르를 수상했으니 말이다. 허나 그 발롱도르 수상은 그의 노력만으로 된 것은 아니다. 바로 소속팀 리버풀이 트레블(프리미어리그 제외)을 달성하면서 리버풀의 주 득점포였던 오웬이 받게 된 것이다. 그 이후 계속해서 리버풀에서 뛰다가 2004-2005 시즌 전에 갑자기 레알 마드리드로 이적하면서 비난을 받는다. 주전 출장을 요구하지만 호나우두, 라울 곤잘레스에게 밀려 결국 1년 만에 뉴캐슬 유나이티드로 이적했다.(이 때 리버풀에서는 딱히 오웬을 영입하고 싶어 하지 않았다. 또한 맨체스터 유나이티드도 애초에 오웬을 영입하려 했으나 알렉스 퍼거슨은 오웬 대신 박지성을 선택했다고 직접 밝혔다.) 허나 뉴캐슬 유나이티드가 강등 당하고는 자유계약 신분으로 풀려났다. 그렇게 그는 자유계약 신분으로 맨체스터 유나이티드의 유니폼을 입었다. 리버풀 입장에서는 전혀 기분 좋을 리가 없었다. 흥미롭게도 이 때 리버풀에서 오웬을 영입하자고 강력히 주장한 자는 페르난도 토레스(?!)이다. 결국 그렇게 오웬은 배신자가 되었다.

두 번째 배신자는, 그 오웬을 영입하자고 강력히 주장한 토레스였다. 리버풀이 그리 좋다면서 아틀레티코 마드리드에서도 이야기 하

던 그가 리버풀 유니폼을 입은 것은 2007년이었다. 그것도 최고 이적료를 경신하면서 온 것이다. 당시 '제-토(제라드-토레스) 라인'이라는 말이 나올 정도로 제라드와 토레스의 플레이는 실로 엄청났다. 하지만 챔피언스리그에 출전하지 못하는 리버풀이 마음에 들지 않았던 것일까. 토레스는 계속해서 이적을 요청한다.(사실 계속해서 리버풀에 대한 사랑을 보이고, 충성을 맹세하는 행동을 보인 토레스였기에 리버풀 보드진의 기분이 이해가 간다.) 제라드가 밝힌 이야기인데, 제라드는 "토레스가 내게 와서 떠나고 싶다고 말을 했을 때 나의 심장을 칼로 찌르는 듯 한 기분이 들었다."라고 이야기 했다. 그것도 제라드에게 '가야 할 상황인 것 같다.'라고 이야기 한 게 아니라 '감독과 구단에게 잘 이야기해서 나 좀 보내 달라.'라고 이야기하는 몰상식한 이야기를 한 것이니 말이다. 결국 그는 첼시로 이적했고 그렇게 세계 최고의 공격수 토레스는 없어졌다. 그냥 리버풀에서나 첼시에서나 '최악의 선수'로 남았다.

이렇게 끝날 줄 알았다면 오산이다. 2010년 라파 베니테즈에 의해 영입된 라힘 스털링이 있지 않는가. 2013년부터 엄청난 활약으로 리버풀의 에이스로 자리 잡았고, 이후 SSS라인(스털링-수아레즈-스터릿지)로 리버풀을 단숨에 우승 후보로 만들기도 했다. 2014-2015 프리미어리그에서는 수아레즈의 이적과 스터릿지의 부상 등으로 인해 리버풀의 에이스가 되었다. 그런데 리버풀의 재계약을 계속 거절하면서 팬들을 불안하게 만들다가, 결국 "우승이 중요하다."라는 뜬금없는 이야기를 한다. 자존심에 금이 간 리버풀은 스털링을 2군으로 보내겠다는 이야기까지 했으나, 결국 맨체스터 시티로 이적했다. 무려 7번을 달고 맨체스터 시티의 유니폼을 입었다. 그럼과 동시에 역사와 전통이 있는 '프리미어리그의 BIG4 선수 자리'를 포기했다.

U - Univ. of Liverpool & Univ. (**리버풀 대학교 그리고 대학**)

리버풀의 공립 종합대학교인 리버풀 대학교는 버밍엄 대학교, 리즈 대학교와 함께 '붉은 벽돌 대학교'로 꼽힌다. 그 중 인문 사회과학부가 있는데, 그 안에는 축구학과도 있다. 국내 스포츠 해설위원인 서형욱 해설위원은 리버풀대학교 대학원 축구 산업학 석사과정을 수료했다. 이 외에도 축구 마케팅, 축구 경영 등 축구에 관련된 다양한 학과가 존재한다. 전 세계 축구 전문가(행정가, 칼럼니스트 등)를 꿈꾸는 학생들의 '꿈의 대학'이 아닐 수 없다.

2014년 12월에 있었던 대 수능을 앞두고는 리버풀 코리아 SNS 계정은 국내 수험생들을 응원하기도 했다.

V - Vocabulary Test about Liverpool (리버풀 관련 어휘력 테스트)

다음은 리버풀에 관한 글이다. 빈 칸에 들어갈 알맞은 단어는?

Liverpool Football Club are a Premier League football club based in ________. The club have won more European trophies than any other English team with five European Cups, three UEFA Cups and three ___________. They have also won eighteen League titles, seven FA Cups and a record eight League Cups, although they are yet to win a Premier League title since its inception in 1992. Liverpool have ____________ rivalries with neighbours ________ and with ____________. The team changed from red shirts and white shorts to an all-red home strip in 1964. The club's anthem is "_______________". In May 2015 they were ranked by Forbes as the eighth most valuable football club in the world, at $982 million. 출처 - 위키피디아

답) 1. Liverpool

2. UEFA Super Cup
3. long-standing
4. Everton FC
5. Manchester United FC
6. You'll Never Walk Alone

W - Winners of Europe (유럽의 승자)

리버풀은 챔피언스리그 트로피를 다섯 번이나 가지고 온 팀이다. 1위는 10회 우승을 차지한 스페인의 레알 마드리드, 2위는 7회 우승의 이탈리아 AC밀란이다. 그리고 공동 3위가 스페인의 바르셀로나와 리버풀이다. 이는 프리미어리그 최고 기록이다. 맨체스터 유나이티드는 3회, 노팅엄 포레스트가 2회, 첼시가 1회 우승을 한 것이 전부다. 안타깝게도, 다른 팀들(아스날, 맨체스터 시티, 토트넘 등)은 구경도 못했다.

개인 기록으로 가보면, 1980-1981 챔피언스리그에서는 리버풀의 테리 맥더못과 그레이엄 수네스가 공동 득점왕을 차지하였다. 이보다 더욱 경이로운 기록은 밥 페이즐리다. 유일하게 한 팀에서 세 번이나 챔피언스리그 우승을 차지한 감독이기 때문이다.(카를로 안첼로티는 AC밀란에서 두 번, 첼시에서 한 번 우승했다.) 그리고 2004-2005 챔피언스리그 우승의 주역인 사비 알론소는 그로부터 9년 후에 레알 마드리드에서 다시 챔피언스리그 우승을 차지하기도 했다.

X - X-FILE : Anfield Jinx (X-파일, 안 필드 징크스)

리버풀의 홈구장, 안 필드에는 꽤나 골치 아픈 징크스가 있다. 물론 상대 입장에서 말이다. 리버풀 입장에서 보면 안 필드의 좋은 기운이지만, 상대 입장에서 보면 안 필드 징크스가 아닐 수 없다.

만수르가 구단을 인수하면서 신흥 강호로 급부상한 맨체스터 시티는 지역 라이벌인 맨체스터 유나이티드를 비롯해 많은 프리미어리그의 강팀들을 이겨왔다. 허나 리버풀의 홈, 안 필드에서는 2003년부터 단 한 번도 맨체스터 시티가 리버풀을 이긴 적이 없다. 물론 맨체스터 시티가 홈으로 리버풀을 불러들일 때에는 이긴 적이 있겠지만 말이다. 맨체스터 시티로서는 정말 머리가 아프지 않을 수 없다.

다음은 웨인 루니다. 잉글랜드와 맨체스터 유나이티드의 간판 공격수인 루니는 2014-2015 프리미어리그가 종료되면서 프로 통산 556경기에 출장해 247득점을 올렸다. 맨체스터 유나이티드에서만 230득점을 올리면서 프리미어리그 수준급 공격수로 인정 받은지 오래인 루니는 우습게도 안 필드에서는 단 한 골을 성공시켰다. 그 많은 경기 중, 단 한 경기 1득점 말이다.(심지어는 그 득점도 2005년이다.)

두 맨체스터 팀의 무덤인 안 필드가 또 어느 팀, 어느 선수의 무덤이 될지 궁금하다.

Y - YNWA!! (당신은 결코 혼자걷지 않으리!!)

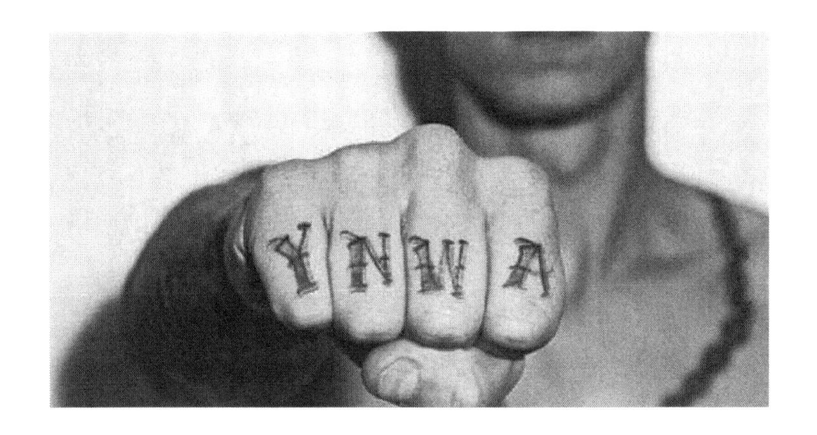

YNWA!! 리버풀 팬들이 자주 하는 이야기이기도 하면서, 리버풀의 상징 문구이기도 하다. 사실 이 YNWA는 〈You'll Never Walk Alone〉이라는 노래다.

〈You'll Never Walk Alone〉은 1945년 리차드 로저스와 오스카 해머스타인 2세가 지은 노래다. '회전목마'라는 뮤지컬에서 주인공이 죽은 후 주인공의 아이를 임신한 여주인공을 위해 부르는 노래이며 그 아이가 훗날 자라 학교에서 졸업을 할 때 부르는 노래이기도 하다.(미국 일부 학교에서는 실제로 이 노래를 부른다고 한다.) 이 노래를 개리 앤 피스메이커가 1963년 10월에 음반으로 내면서 리버풀의 팬들이 부르기 시작했다.(물론 도르트문트, 아약스, 페예노르트, 셀틱의 팬들도 부르지만 역시 원조가 제 맛이다.)

〈You'll Never Walk Alone〉은 프리미어리그, 챔피언스리그를 비롯한 리버풀의 모든 경기에서 콥들에 의해 불리어지게 되었고, 어느새 이 〈You'll Never Walk Alone〉이라는 곡은 리버풀의 상징이 되어 있었다.

다음은 〈You'll Never Walk Alone〉의 가사이다.

When you walk through the storm
Hold your head up high
And don't be afrid of the dark
At the end of the storm
Is a golden sky
And the sweat silver song of the light

Walk on through the wind
Walk on through the rain
Though your dreams be tost and blown
Walk on, walk on with hope in your heart
And you'll never walk alone
You'll never walk alone

당신이 걸으면서 폭풍우가 몰아치던 어둠이 몰아쳐도 그 끝에는 금빛 하늘과 종달새의 은빛 노래가 있다면서 계속 걸으라고 하는 내용이다. 다른 노래의 가사와 다를 바 없다고 생각할지도 모르지만, 모든 팀의 팬들에게 단연 축구 응원가 중 단연 1위로 뽑힌다.

Z - Z × 2 (Z × 2)

리버풀 역사상 성이 ‘Q’로 시작하는 선수는 단 한 명도 없었다. 하지만 ‘Z’로 시작하는 선수는 딱 두 명 있었다. 독일의 크리트시안 지게와 네덜란드의 바우더베인 젠던이다. 첼시의 **Z - Zola... (졸라...)**에서도 소개 된 젠던은 네덜란드 국가대표팀에서 54경기에 출장하여 7득점을 올렸다. ‘저니 맨’이라고 할 정도로 많이 팀을 옮겼는데 PSV 아인트호벤부터 바르셀로나, 첼시, 미들즈브러, 리버풀, 올림피크 드 마르세유 그리고 선덜랜드까지 무려 7팀을 거쳤다

제 4 장 글로리, 맨체스터 유나이티드

MANCHESTER UNITED

A - (Sir) Alex Ferguson, CBE (알렉스 퍼거슨 경)

이야기를 시작하기에 앞서, 간단한 명단을 보여주겠다. '존 홀린스 바비 캠벨, 이안 포터필드, 데이비드 웹, 글렌 호디, 루트 굴리트, 지안루카 비알리, 그라함 릭스, 클라우디오 라니에리, 조세 무리뉴, 아브라함 그란트, 루이스 필리페 스콜라리, 레이 쉴킨스, 거스 히딩크, 카를로 안첼로티, 안드레 비아스 보아스, 로베르토 디 마테오, 라파엘 베니테즈.' 이 명단이 무엇일까. 맞다. 첼시의 역대 감독이긴 하다. 바로 '퍼거슨을 거쳐 간 첼시 감독'이다.

앞서 아스날, 첼시, 리버풀에서 많은 명장들을 소개했다. 하버트 채프먼, 조세 무리뉴, 빌 샹클리 등 많은 감독들은 지금의 프리미어리그와 BIG4를 만든 주인공들이기도 하다. 하지만 극단적으로 말하자면 '퍼거슨을 뛰어 넘었다.'라고 장담할만한 인물은 없다.(종종 아스날, 첼시, 리버풀 등의 타 팀 커뮤니티에 투표 글이 올라와도 대부분 1위는 퍼거슨이다.) 퍼거슨은 맨체스터 유나이티드의 감독으로서 무려 1498경기를 지도했다. 그 중 894경기를 승리하면서 승률 59.67%의 대기록을 만들어내기도 했다.

축구 역사상 최고의 감독 중 하나로 꼽히는 퍼거슨은 맨체스터 유나이티드의 전설적인 감독으로 27년간 맨체스터 유나이티드의 많은 트로피를 들어 올렸다. 맨체스터 유나이티드의 감독으로서 프리미어리그 우승 13회(!)의 기록과 FA컵 우승 5회, 리그 컵 우승 4회, 챔피언스리그 우승 2회 등을 이루어내면서 총 38개(!)의 트로피를 들어 올렸다. 사실 퍼거슨은 에버딘에서 감독으로 있을 때 많은 빅 클럽에게 러브콜을 받았다고 한다. 그 중에는 물론 아스날, 토트넘과 같은 프리미어리그 팀들도 있고 바르셀로나와 아약스도 있다. 허나 그가 마지막까지 고민한 두 카드는 토트넘과 맨체스터 유나이티드였다. 한 순간의 선택이 리그의 역사를 바꾼 것이다.

최고의 명장인 퍼거슨의 맨체스터 유나이티드가 가장 빛났던 때는 바로 1988-1999 프리미어리그이다. 데이비드 베컴과 로이 킨, 폴 스콜스 그리고 라이언 긱스가 책임지는 중원은 당시 세계 최고였고 골키퍼는 무려 피터 슈마이켈이었다. 챔피언스리그 결승전인 바이에른 뮌헨과의 경기에서 0-1로 패배하다가 두 골을 극적으로 추가 시간에 연달아 성공하면서 (아스날의 팬인) 엘리자베스 2세가 "퍼거슨과 유나이티드가 들어 올린 것은 트로피 그 이상이다. 바로 대영제국의 자존심이었다."라고 말까지 하였고, 이를 기념하기 위해 영국 전국의 학교에 휴교령까지 내렸다. 이 우승에 힘입어 맨체스터 유나이티드는 트레블을 달성한다.

하지만 그에게도 위기는 있었다. 몇 십년간의 역사상 최강의 선수단을 구성하면서 무패 우승의 신화까지 이루어낸 아르센 벵거의 아스날, '스페셜 원' 무리뉴와 로만 아브라모비치로 '스페셜 팀'이 된 첼시가 당시 최고의 활약을 보이고 있었기 때문이다. 2000년대 초반과 중반까지만 해도 그에게 '대 위기'였다. 그러나 그는 당연히 그 위기를 극복했다. 이후 몇 년간 팀에 헌신하며 많은 우승에 기여할 네마냐 비디치, 에드윈 반 데사르, 파트리스 에브라 그리고 박지성을 영입 한 것이다. 무려 약 320억 원 정도의 싼 값으로 이 네 명의 실질적 에이스를 영입했다니 '명장'이 아닐 수 없다.(참고로 레알 마드리드로 이적할 당시의 가레스 베일은 약 1520억 원, 바르셀로나로 이적할 당시의 루이스 수아레즈는 약 1320억 원이다.) 이 들의 활약으로 2007-2008 시즌에는 챔피언스리그와 프리미어리그 더블을 이루어냈고, 다음 시즌에는 리그 우승과 칼링 컵 우승, FIFA 클럽 월드컵 우승을 거머쥐었다.

남자답고 터프한 성격의 소유자, 언론을 자유자재로 조절할 줄 아는 감독, 자신의 선수는 무슨 수를 써도 보호하는 모습, 무언가 더 발전이 필요할 때면 '헤어 드라이기'로 변하는 퍼거슨은 단연 최고의 명장이다.

"팀보다 위대한 선수는 없다."라며 팀 분위기에 방해가 되는 선수는 그가 몸값이 어떨지라도 과감히 내쳤던 그가 한 말 중 "경기를 좌우하는 것의 99%는 선수이고 1%는 감독이다."라는 말이 있다. 그 말이 맞는다면, 그는 누구보다도 위대한 1%였다.

B - Brown No. 1 to 6 (브라운 1번부터 6번)

맨체스터 유나이티드는 기나긴 역사 속에 무려 여섯 명의 '브라운'과 함께했다.

가장 먼저 뉴턴히스 시절에 있었던 윌리엄 브라움이 있지만, 그에 대한 정보가 없는 관계로 2번 브라운인 로버트 브라운을 소개한다. 그는 1947년 7월 유니폼을 입고 약 2년간 활약한다. 잉글랜드 웨스트 하틀풀 출신으로 팀의 골키퍼였지만 많은 경기에 출장하지는 못하고 팀을 떠나게 되었다. 다음으로 맨체스터 유나이티드의 선수가 된 3번 브라운은 제임스 브라운이다. 뉴욕 자이언츠에서 좋은 활약을 보여 맨체스터 유나이티드로 이적하게 된 스코틀랜드 출신 미국 국적의 제임스 브라운은 3경기에 출장해 한 골을 득점하면서 기대에 미치지 못했다. 그 이후 두 명(4번, 5번)의 스코틀랜드 국적 제임스 브라운이 맨체스터 유나이티드의 유니폼을 입었지만 별다른 활약 없이 돌아갔다.

다음 6번 브라운은 웨슬리 마이클 브라운으로 우리에게 흔히 '웨스 브라운'이라고 알려진 수비수다. 1998년 리즈 유나이티드와의 경기에서 데뷔하여 꽤나 준수한 활약을 펼쳤다. 당시 게리 네빌이라는 정상급 수비수의 빈자리에 투입되기도 했고, 중앙 수비수로서의 활약도 보였다. 이후 2011년 선덜랜드로 이적하면서 팀과 결별한다.

C - Captain Armband in SAF's United (퍼거슨의 유나이티드에서 주장 완장을)

알렉스 퍼거슨은 맨체스터 유나이티드의 감독으로 1986년부터 있었다. 그때부터 퍼거슨 아래에서 주장 완장을 찬 선수들을 소개한다.

〈퍼거슨의 유나이티드에서 주장 완장을 찬 선수들〉

브라이언 롭슨(345경기 74득점), 스티브 브루스(309경기 36득점), 에릭 칸토나(143경기 64득점), 로이 킨(326경기 33득점), 게리 네빌(400경기 5득점), 네마냐 비디치(211경기 15득점), 웨인 루니.

D - Devils from East Asia (동아시아에서 온 데빌스들)

전 세계, 각 국 최고의 선수들은 프리미어리그의 BIG4를 거쳐 갔다. 그 중 맨체스터 유나이티드에서 활약한 세 명의 동아시아 출신 축구선수를 소개하겠다.

가장 먼저 2004년 중국의 동팡저우가 중국인으로는 처음으로 맨체스터 유나이티드의 일원이 되었다. 하지만 이 영입은 알렉스 퍼거슨의 계획이 아니라 중국 시장을 노린 구단주의 '무리수'였다. 입단 직후 바로 벨기에 리그의 한 팀으로 임대되어 임대생 신분으로 있다가, 2006년 복귀하였다. 2007년 맨체스터 유나이티드의 친선경기에서 앤디 콜의 패스를 받은 동팡저우는 툭 치기만 해도 들어가는 공을 잘못 차면서 '13억 인민 좌절 슛', '황사바람 슛' 등으로 불리면서 조롱을 받게 되었다. 얼마 후 그는 팀의 우승 확정에 힘입어 드디어

2006-2007 프리미어리그 첼시와의 경기에서 출장했다. 허나 그 경기조차 망치며 엄청난 비난을 받았다. 결국 그는 2008년, 맨체스터 유나이티드를 떠나게 된다.

동팡저우 다음으로 맨체스터 유나이티드의 선수가 된 주인공은 바로 대한민국의 박지성이다. 2000년, K리그 진출에 실패한 박지성은 교토 퍼플 상가에 입단하여 '레전드'라고 불릴 만큼 팀에 헌신하는 좋은 활약을 펼치다가 2002년 한일 월드컵의 거스 히딩크 대한민국 국가대표팀 감독에게 발탁되면서 4강 신화에서 중요한 역할을 하게 된다. 월드컵에서의 활약에 힘입어 히딩크, 이영표와 함께 네덜란드의 아인트호벤으로 이적했다. 초반에는 경미한 부상이 잦고 심리적 압박감 때문에 제 활약을 하지 못했으나, 시간이 지나고 아인트호벤에 없어서는 안 될 선수가 되었다.

2005-2006 프리미어리그에서 주전급 선수가 되면서 첫 시즌부터 팬들에게 확실히 눈도장을 찍었다. 2006-2007 시즌에는 우승을 차지했지만 박지성은 부상이 있었다. 다음 시즌에는 중반에 팀에 투

입되면서 바르셀로나와 챔피언스리그 4강 경기에서 그야말로 '대박'의 활약을 보여주면서 팀의 결승 진출에 기여한다. 그 이후 미미한 활약을 보이다가 리그 우승에 공을 세우고 AC밀란과의 챔피언스리그 경기에서는 세계 최고의 미드필더인 이탈리아의 안드레아 피를로를 완전히 묶어버리면서 엄청난 수비력도 보여주기도 한다. 2012년에는 아시아 선수 최초로 프리미어리그 200경기를 달성했다. 그로부터 2주 후에는 주장 완장을 차고 선발출장 하기도 했다. 하지만 그 해 여름, 퀸즈 파크 레인저스에 이적하면서 주장 완장과 7번을 받았다. 맨체스터 유나이티드는 그간 팀에 헌신한 박지성에게 고마움을 전하고 홈페이지와 SNS에서 '박지성 활약상', '팀원들의 작별 메시지', '퍼거슨 감독의 인터뷰' 등이 실리기도 했다.

사람들에게 박지성의 위대함을 이야기하면 종종 '국뽕'(과도한 애국심이라는 뜻의 비속어)이라는 소리가 들린다. 하지만 그것은 절대 '국뽕'이 아니다. 사실 그는 대한민국에서뿐만 아니라 동남아시아에서도 존경받는 '지느님'이다. JS파운데이션으로 자선 활동을 비롯하여 축구 꿈나무들에게 도움을 주는 여러 활동들을 하기 때문이다. 차범근 이후로 유럽에서 가장 성공한 아시아 축구선수인 박지성이 대한민국 축구선수였다는 것에 자랑스럽다.

마지막으로 일본인 카가와 신지다. 2006년 세레소 오사카에서 선수 생활을 시작하여 독일 도르트문트로 이적한 카가와는 팀의 에이스로 떠오른다. 2012년 여름 이적 시장을 앞두고 도르트문트는 연봉을 두 배 이상 올려주겠다며 장기 계약을 시도했지만 '프리미어리그 드림' 카가와는 결국 거절하고, 결국 에당 아자르 영입에 실패하여 대체 자가 필요했던 맨체스터 유나이티드로 가게 된다.(등번호는 26번이었는데, 13번의 박지성보다 두 배 좋은 활약을 펼쳐 팀의 레전드가 되겠다는 다짐이 담겼다는 소문이 있다.)

프리 시즌에 좋은 활약을 보이면서 다음 시즌을 기대하게끔 했으나, 아스날에서 '작은 아이' 반 페르시가 이적 해 오면서 그에게 주어지는 기회는 줄어들게 된다. 2013년에는 프리미어리그 최초 아시아 선수 해트트릭을 기록했지만, 바로 벤치의 단골손님이 되면서 '주급 도둑'이라는 조롱을 받게 된다. 결국 별 활약 없이 시즌이 종료되었고 2014년 여름에 다시 도르트문트로 돌아갔다.

E - Early United is.. (초창기 유나이티드는..)

맨체스터 유나이티드의 역사는 1870년대부터 시작한다. 랭커셔 철도의 뉴턴히스 실업팀인 뉴턴히스가 설립되면서 시작되었다. 풋볼리그에 참가하면서 새로운 이름을 바꾸려고 '맨체스터 센트럴'과 '맨체스터 셀틱' 중에서 고민하다가 '유나이티드'를 제안하여 결정되었다. 해리 모거와 존 피켄 등이 활약하던 1905-1906 시즌에서 결국 승격하게 된다. 승격한지 2년 만에 최초 우승과 다음 해에는 FA컵도 우승하면서 '유나이티드 신드롬'을 불러일으키기도 했다.

 F - Football League Specialist (풋볼 리그 스페셜리스트)

잉글랜드의 프로축구는 프리미어리그지만, 1992년 이전에는 '풋볼 리그'라고 불리었다. 맨체스터 유나이티드는 풋볼 리그 시절 엄청난 우승 기록을 남겼는데, 7회 우승은 물론이고 2부 리그 2회 우승과 FA컵 7회 우승까지 하였다. 채리티 실드 혹은 커뮤니티 실드에서는 풋볼 리그 시절에만 무려 10번씩이나 우승을 차지했다. 심지어 챔피언스리그까지 2회 차지하기도 하였다.

풋볼 리그 당시의 맨체스터 유나이티드를 이끌던 선수들은 1956년에 팀에 입단하여 무려 758경기에 출장, 249득점을 올린 바비 찰튼과 404경기를 소화하며 경기당 득점 0.6득점에 빛나는, 그의 파트너 데니스 로 등이 있다. 라이언 긱스, 마크 휴즈 등은 풋볼 리그와 프리미어리그를 모두 거친 선수로서 둘은 현재 지도자 생활을 하고 있다.

G - God Charlton (갓 찰튼)

잉글랜드 축구 역사상 최고의 선수를 꼽으라면 누구를 꼽겠는가. 아마 가장 유력한 후보 중 하나가 '맨체스터 유나이티드의 신적 존재' 바비 찰튼 아닐까.

이스트 노섬벌랜드라는 조그마한 유소년 팀에서 뛰던 찰튼은 1953년에 맨체스터 유나이티드의 스카우터 조 암스트롱의 눈에 띄게 되고 15세 때 유소년 팀 계약, 1년 후 무려 16세의 나이로 맨체스터 유나이티드와 정식 프로 계약을 맺게 된다. 팀의 좋은 성적에 기여하면서 선수로서 최고의 시기를 보내고 있었지만, 뮌헨 비행기 추락 사고로 인한 정신적 후유증으로 이후 심리 치료를 받으며 공백기를 가지게 된다. 하지만 곧바로 본 모습을 보인 그는 1958년부터 다시금 좋은 활약을 펼쳤고, 팀에 가장 필요한 선수로 발돋움 했다.

한창 날던 찰튼에게 날개를 수십 개 더 달아주는 듯 한 영입이 있었다. 바로 '경기 당 0.6골' 데니스 로와 '유나이티드 7번 전설의 시작' 조지 베스트의 영입이었다. 사상 최고의 트리오라고 불리는 베스트-찰튼-로는 네 시즌간 무려 239골을 합작하면서 1964년 데니스 로의 수상부터 1966년 찰튼, 1968년에는 베스트까지 발롱도르를 수상했다. 하지만 그들이 공격을 이끌었지만 팀은 수비와 중원에서 매우 약한 모습을 보였고 리그를 호령하던 강팀은 11위 팀으로 전락하고 말았다. 이후 감독이었던 맷 버스비는 사임하기도 하면서 맨체스터 유나이티드의 제2암흑기가 시작된다. 그는 1973년 여름에 은퇴하였고, 바로 직후 리그에서는 2부 리그로 강등까지 되었다.

마무리는 팀 상황 상 좋지만은 못했으나 잉글랜드 국가대표팀으로 49득점을 하면서 최다 득점 기록을 세운 것과 맨체스터 유나이티드에서 249골을 넣으며 역시 최다 득점 기록을 세운 것만으로도 엄청나다. 자, 아직도 "왜 이름 앞에 'God'이 붙나?"라고 의문이 드는가.

H - High, Higher, Highest! : Munich Air Disaster. (높이, 더 높이, 가장 높이! : 뮌헨 비행기 참사)

맷 버스비가 발굴한 인재들과 영입한 스타 선수들의 맨체스터 유나이티드는 당시 '버스비 세대'를 구성하고 있었다. 1958년 1월부터 리그부터 각종 컵 등의 바쁜 일정으로 고생했던 그들은 1958년 2월 6일, 유러피언 컵 원정 경기인 츠르베나 즈베즈다와의 경기를 끝마치고 영국으로 돌아오기 위해 베오그라드에서 뮌헨을 거치는 중 이었다. 뮌헨에서의 급유를 마치고 출발하기 위해 이륙을 계속 시도하였으나 연달아 실패하고 이후 이륙 시도에서 성공하는 듯 했으나 민가에 충돌하면서 비행기가 박살이 났다. 여기서 끝났으면 좋았겠지만 옆에 주차된 트럭과도 충돌하면서 대폭발을 일으켰다. 결국 맨체스터 유나이티드 선수이자 '버스비의 아이들' 중 일부인 8명이 사망하고 팀의 비서였던 월터 크릭머와 수석 코치인 버트 웰리, 트레이너였던 톰 커리도 사망했다. 맨체스터의 지역 일간지인 〈맨체스터 이브닝 크로니클〉의 기자인 알프 클락을 비롯하여 〈데일리 미러〉, 〈데일리 익스프레스〉 등 많은 기자들 역시 목숨을 잃었다. 총 23명의 축구 인이 사망하였던 것이다. 생존한 선수들 중 조니 베리와 작키 블란치플라워는 사고의 후유증으로 은퇴하고 당시 감독이었던 맷 버스비 역시 한동안 정신 치료에 힘써야 했다.

올드 트래포드에는 아직도 당시 사고 시각인 3시 30분 20초경을 가리키고 있다. 평화 속에서 휴식을 취하며 그들이 높이, 더 높이, 가장 높이 날았으면 한다.

I - Influence in Korea (대한민국에서의 영향력)

프리미어리그 BIG4 팀 중 대한민국에서의 영향력이 가장 큰 팀은 맨체스터 유나이티드다. 맨체스터 유나이티드는 박지성의 영입으로 '국민 클럽'으로 발돋움했다. '축구 불모지'(세계 어디에도 대륙 정상급인 자국의 프로축구를 이만큼 무시하는 나라는 없다.)인 대한민국에서 태어나고 자란 선수가 세계 최고의 축구 대륙인 유럽에서 뛴다고 하면 누구든지 응원할 수 있다. 하지만 국내에서는 '맨유 공화국'이라고 불릴 정도로 너무 과하다는 지적도 있다. "제발 한국인이면 맨유 좀 응원합시다.(제한맨)"와 같은 이야기가 모든 팬들이 있는 축구 커뮤니티에서 꽤나 여러 번 올라왔기 때문이다.

박지성이 맨체스터 유나이티드로 이적하면서 각종 포털 사이트는 물론이고 해외 축구 커뮤니티, 그리고 일상 속에서도 대부분의 사람들이 친(親) 유나이티드 성향을 보였다. 심지어는 아스날, 리버풀, 맨체스터 시티의 뉴스가 있을 때에도 항상 맨체스터 유나이티드 중심으로 기사의 제목을 작성하기도 했다. 이는 물론이고 2011-2012 프리미어리그 마지막 라운드에서는 맨체스터 시티가 승리하면 무조건 우승인 상황에서 맨체스터 유나이티드의 경기를 중계 해주기도 하고, 챔피언스리그에서도 바르셀로나, 바이에른 뮌헨 등 다른 유럽 빅 리그의 강팀들끼리의 대결을 중계하지 않고 맨체스터 유나이티드와 다른 비교적 약팀의 경기를 중계한 경우가 많다.

사실 대부분의 사람이 박지성과 맨체스터 유나이티드로 프리미어리그를 보기 시작한 게 맞다. 그렇다고 국내에서의 맨체스터 유나이티드의 인기가 박지성 때문만은 아니다. 박지성이 팀을 떠났지만 여전히 국내 팬들은 많기 때문이다. '팬'을 매도해서는 안 된다.

J - Just Straight! (일직선으로 쭉!)

1993-1994 프리미어리그에 등번호 제도가 바뀌었다. 흥미로운 사실은 그 이후에 맨체스터 유나이티드가 1번부터 11번까지의 등번호를 가진 선수들을 한 번에 쭉! 선발로 내보낸 적이 있다.

다음은 당시 출전 선수 명단이다.

1. 피터 슈마이켈(GK)
2, 폴 파커
3. 데니스 어윈
4. 스티브 브루스
5. 리 샤프
6. 게리 팰리스터
7. 에릭 칸토나
8. 폴 인스
9. 브라이언 맥클레어
10. 마크 휴즈
11. 라이언 긱스

K - Kit Evolution (유니폼 변화)

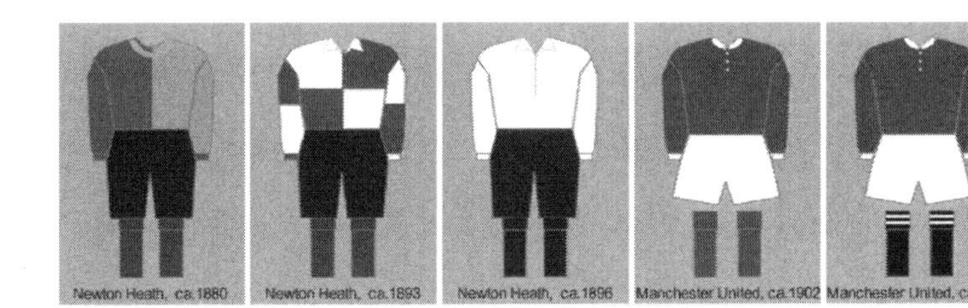

상의를 초록색과 노란색으로 나누는 뉴턴히스 시절의 유니폼으로부터 팀 유니폼의 역사는 시작된다. 두 번째는 마치 K리그의 부산 아이파크를 연상시키는 모습인데, 십자가 부분을 빨간색과 흰색으로 채운 이 유니폼을 1890년대까지 착용했다. 1902년부터 지금과 비슷한 모습인 빨간색-하얀색의 유니폼을 착용했다. 사진에는 없지만 이때부터 원정 유니폼으로 세로 줄무늬 상의를 착용하기도 했다. 그러다가 1922년부터는 흰색에 빨간 V 무늬가 들어간 유니폼을 약 5년간 착용하지만 다시 돌아왔고, 1940년대부터는 원정 유니폼이 파랑-하양이나 하양-하양 조합으로 정착되었다.(1971년부터 1974년에 노랑-파랑 조합을 이용하기도 했다.) 그러던 1992년에는 아디다스와의 계약이 종료되고 엄브로와 계약하면서 원정 유니폼은 물론이고 서드 유니폼까지 화려하게 나오게 된다. 하얀색, 검정색, 카키색, 금색 등의 많은 색들이 원정 유니폼에 사용되었다. 2002년에는 나이키로 브랜드를 바꾸었다.

L - Local Derby Match (지역 더비 경기, 맨체스터 더비)

라이벌이 형성될 때, 대부분 세 가지의 경우로 형성된다. 정치적 이념적 문제이거나 계층의 갈등이거나 지역 라이벌인 경우이다. 이 중에서도 단연 지역 라이벌이 가장 많다. K리그도 수도권 대표 더비인 FC서울과 수원 삼성의 슈퍼매치, 경상북도에 위치한 포항 스틸러스와 울산 현대의 동해안더비 등이 지역 라이벌인 것처럼 말이다. 프리미어리그의 지역 라이벌이라고 한다면, 대표적인 더비 경기가 몇 가지 있을 것이다. 그 중에서 맨체스터 더비를 소개한다.

1881년 첫 경기를 가진 맨체스터 유나이티드와 맨체스터 시티는 각각 뉴턴히스와 웨스트 고튼 세인트 마크스(WGSM)로 출범하였다.

처음에는 맨체스터의 많고 많은 팀들 중 두 팀이었지만 1900년대 부터는 '맨체스터 BIG2'가 되었다. 하지만 그렇다고 두 팀의 사이가 나쁜 것은 아니었다. 오히려 매우 가까워서, 그냥 '이웃 팀'이라고 서로가 생각했다. 그들이 처음으로 감정이 격화되기 시작한 것은 1970년대 초반이다. 맨체스터 유나이티드의 레전드인 조지 베스트가 맨체스터 시티의 글랜 파도에게 심한 태클을 하면서 강제 은퇴 당했고, 시티즌(맨체스터 시티 팬들의 애칭)들은 그 때부터 유나이티드를 좋은 눈으로 보지 않았다. 허나 서로의 감정만 나빴지 맨체스터 시티는 맨체스터 유나이티드의 상대가 되지 않았다.

하지만 2000년대에 들어서서 만수르가 맨체스터 시티의 구단주가 되면서, 선수 영입과 같은 여러 분야에 투자를 하면서 갑자기 급부상했다. 그 이후로도 두 팀은 만나기만 하면 으르렁대면서 정말 재미있는 더비 경기를 보여준다.

두 팀의 라이벌 관계에서 흥미로운 것은 맨체스터 유나이티드의 위대한 감독이라고 칭송받는 맷 버스비는 맨체스터 시티에서 무려 9년간 뛰었고 226경기에 출장했다. 또한 1996년에 잠시 맨체스터 시티의 감독을 맡았던 스티브 코펠은 맨체스터 유나이티드에서 322경기나 뛴 선수였고, 국내 팬들에게도 잘 알려진 마크 휴즈는 맨체스터 유나이티드에서 345경기에 출장하여 119득점이나 올린 맨체스터 시티 감독이었다.

M - Many Followers in 〈F〉 (F사 SNS 속 많은 팔로워들)

세상에서 가장 유명한 팀 중 하나인 맨체스터 유나이티드는 그 어느 팀보다 SNS 팔로워가 많은 팀 중 하나로 유명하지만 동시에 F사 SNS와 T사의 SNS의 팔로워가 가장 많이 격차를 보이는 팀이기도 하다. 다음은 그에 관한 자료이다.

〈F사 SNS〉 맨체스터 유나이티드 : **약 6,600만 명(전체 2위)**, 아스날 : 약 3,300만 명, 첼시 : 약 4,200만 명, 레알 마드리드 : 약 1,000만 명, 바이에른 뮌헨 : 약 3,000만 명 (1위는 약 8,500만 명의 바르셀로나)

〈T사 SNS〉 맨체스터 유나이티드 : **약 550만 명**, 아스날 : 약 600만 명, 첼시 : 약 580만 명, 레알 마드리드 : 약 1,650만 명, 바르셀로나 : 약 1,550만 명

아무래도, 전 세계의 맨체스터 유나이티드의 팬들은 F사의 SNS만 하는 것 같다.

N - New Captain, Wayne! (새로운 주장, 웨인 루니!)

1997년부터 2005년까지는 맨체스터 유나이티드 역사상 주장으로서 트로피를 가장 많이 들어 올린 로이 킨, 그로부터 2011년까지

는 20년의 축구 인생을 전부 팀에 바친 게리 네빌 그리고 2000년대 후반부터 2010년대까지 팀의 전성기를 이끌었던 비디치까지. 2000년대부터의 맨체스터 유나이티드 주장들은 모두 카리스마 넘치고 팀에 헌신하는 '레전드'였다.

그렇다면, 차기 주장은 누구인가. 바로 맨체스터 유나이티드의 아이콘, 웨인 루니다. 루니는 입단 10년 만에 주장으로 임명되었으며 다른 선수들에게 주장을 준다는 언론 플레이에도 침착함을 유지하면서 결국 주장이 되었다. 팀을 위해서 공격수부터 미드필더까지 소화한 그는 불같은 성격처럼 엄청 열정적이고 승부욕이 강한 모습을 자주 보여준다. 폭발적인 스피드는 물론이고 탈 압박을 겸비한 드리블, 그리고 정밀하고 강한 슈팅 실력까지 모두 갖춘 공격수이다. 정통 공격수는 아니고, 주로 주 득점포 아래에서 플레이를 돕거나 함께 만들어나가는 역할을 한다. 그러면서 크리스티아누 호날두와 로빈 반 페르시 등을 도와주었다.

사실 그가 가지고 있는 이미지는 '악동'이미지다. 2004년에 약혼자가 있는데도 성매매를 하기도 했고, 1년 후에는 잉글랜드 국가대표팀 경기 도중에 자신을 말리러 온 데이비드 베컴에게 'FxxK You!'라고 하기도 했다. 또한 그로부터 1년 후인 2006년 독일 월드컵에서는 히카르도 카르발료를 밟고 퇴장까지 당했다. 하지만 점점 갈수록 이런 악동의 이미지보다는 팀에게 필요하기도 하면서 정신적으로도 건강한(?) 선수가 되었다. 더불어 잉글랜드 국가대표팀의 주장으로도 임명 되었다.

우스갯소리지만 이런 이야기가 있다. '호날두는 골을 넣고, 메시는 드리블을 하지만, 루니는 축구를 한다.' 1996년부터 자신의 모든 축구 인생을 프리미어리그에서 보낸 그는 진정한 '프리미어리그와 맨체스터 유나이티드의 아이콘'이다.

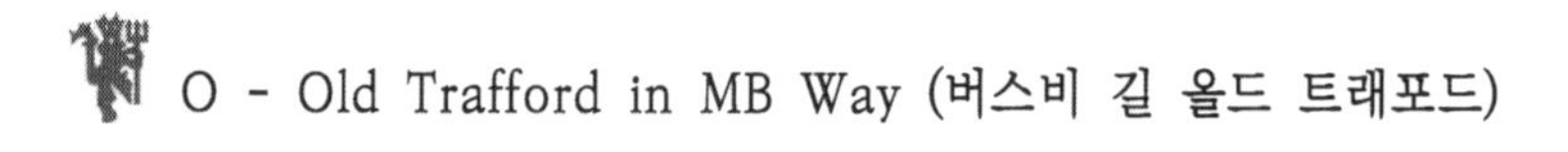

O - Old Trafford in MB Way (버스비 길 올드 트래포드)

'The Theater of Dreams'라는 별명을 가진 프리미어리그 최고의 홈구장. UEFA가 인정한 잉글랜드 최고의 구장. 바로 올드 트래포드이다. 1902년에 맨체스터 유나이티드는 그들의 새로운 구장으로 올드 트래포드를 건설하고 5성 경기장으로서 FA컵 결승전이나 리그 컵 결승전 등 여러 중요한 경기를 열었다. 허나 제2차 세계대전에서 아스날의 하이버리와 같이 나치 독일군의 무자비한 폭격으로 경기장 대부분이 파괴되었고 이는 엄청난 손실을 가지고 왔다. 맨체스터 유나이티드는 재건축 기간 동안 맨체스터 시티의 홈구장이었던 메인 로드에서 경기를 했고, 결국 1949년에 다시 올드 트래포드를 재개장했다. 그로부터 약 15년 후 대공사에 착수하면서 지붕을 기둥 없이 설치하고 많은 관중석을 놓아 더 많은 팬들이 경기장을 찾을 수 있게끔 했다. 결국 1980년대에는 약 60,000명을 수용할 수 있게 되었지만, 힐스버러 참사로 인해 입석에 모두 폐지되면서 44,000석으로 줄었다. 허나 다시 56,000명을 수용할 수 있게 하고 이어 5,000석을 추가하면서 2000년에 드디어 6,1000석 규모를 갖추었다.

올드 트래포드에서 가장 시끄러운 곳은 서쪽이다.(K리그와는 다르게, 북쪽이나 남쪽이 골대 뒤에 위치하지 않는다.) 더 스트렛포드 엔드(The Stretford End)는 맨체스터 유나이티드의 열혈 팬들이 들어와 응원을 하는 곳이다. 이 훌리건들과 서포터들이 밖으로 나가면 바로 맷 버스비의 동상이 세워져있다. 한편, 원정 팬들이 있는 동쪽에는 에릭 칸토나의 동상이 있다. 대체로 일반 팬들이 앉는 우리의 '일반석'과 같은 북쪽 스탠드는 2011년에 알렉스 퍼거슨 부임

25주년을 기념의 일환으로 알렉스 퍼거슨 경 스탠드(Sir Alex Furguson Stand)로 개명했다.

대한민국에서 가장 많이 TV를 통해 나온 해외 축구경기장이기도 한 올드 트래포드는 꽤나 친숙하다. 하지만 대부분의 팬들이 직접 올드 트래포드를 찾지는 못했다. 만약 어딘가에 가서 "나 프리미어리그 팬이야!"라고 자랑하고 싶다면, 가장 먼저 올드 트래포드를 찾아가는 것을 추천한다.

P - Position & Formation Dilemma with Ferguson (퍼거슨 시절, 포지션과 포메이션 딜레마)

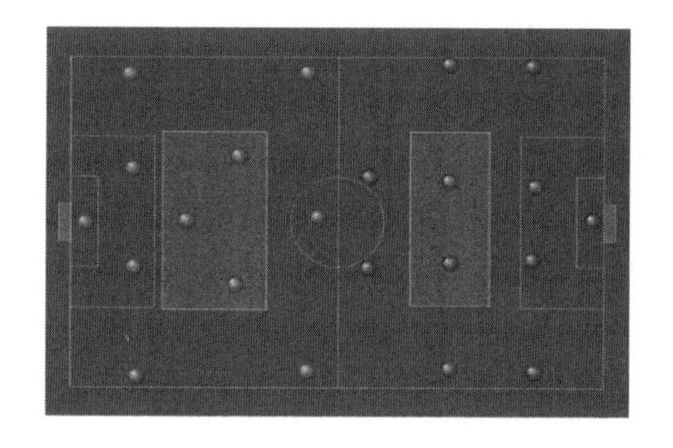

2005-2006 프리미어리그의 맨체스터 유나이티드는 기존 보던 모습과는 사뭇 다른 느낌이었다. 얼마 전까지만 해도 있던 데이비드 베컴과 로이 킨이 팀을 떠난 것이다. 이는 곧 '반강제적 리빌딩'이나 다름없는 것이었다. 그 두 스타플레이어의 빈자리를 웨인 루니

와 크리스티아누 호날두가 채워주기를 바랬다. 결국 알렉스 퍼거슨은 고집하던 4-4-2를 버리고 4-3-3을 선택하게 된다. 가장 큰 이유는 반 니스텔루이와 루니, 호날두, 긱스, 박지성의 톱 쓰리 조합에 기대를 걸었기 때문이다. 중앙에 반 니스텔루이가 주 득점포로서 버티고 있으면 양 쪽에서 선수들이 루니처럼 가담을 해 주던, 긱스처럼 크로스를 올리던 할 것이니 골은 터지겠다고 생각했을 것이다. 또한 애초에 4-3-3으로의 변화를 생각지도 않은 이유가 베컴 때문이다. 베컴은 측면 미드필더로서의 활약은 세계 최고지만, 측면 공격수로서는 아니었다. 즉 4-4-2에서 측면을 맡을 베컴이 있었기에 퍼거슨은 굳이 4-3-3으로 갈 필요가 없었던 것이다.

하지만 역시나 맨체스터 유나이티드에게 오랫동안 적응된 4-4-2를 하루아침에 바꾼다는 것은 힘든 일이었다. 허나 2007-2008 프리미어리그에서 다시금 퍼거슨은 4-3-3을 들고 나오게 된다. 이러한 과정에서 박지성은 루니, 호날두, 테베즈와 번갈아가며 선발 출장을 했다. 4-3-3을 다시 선택한 가장 큰 이유는 경기 도중에 팀 분위기를 바꾸어줄만한 조커 투입이 필요할 때 가장 다양한 경우의 수를 가지기 때문이다. 허나 얼마 가지 않아 결국 다시 4-4-2로 돌아가게 된다.

4-4-2와 4-3-3의 차이점은 크게 세 가지다. 첫째, 베컴과 같이 수준급의 '측면 미드필더'가 활약할 수 있는 포메이션은 4-4-2이고, 루니나 호날두와 같이 수준급의 '측면 공격수'가 활약할 수 있는 포메이션은 4-3-3이다. 둘째, 중원 선수들의 배치가 달라진다. 4-4-2의 중원을 본다면 라인 자체를 올리거나 내리거나 하는 것

외에는 다이아몬드 형식(공격형 미드필더와 수비형 미드필더를 배치) 밖에 없다. 하지만 4-3-3은 일반형에서 삼각형, 역삼각형 그리고 공격진을 지원하면서 한 명은 수비진을 커버하는 안정적인 그림 역시 그릴 수 있다. 물론 우열은 없다. 팀 특성에 맞는 포메이션을 사용하면 된다. 결국 로빈 반 페르시라는 확실한 공격수가 오면서 '톱 원'이 가능하게 되었지만 그 전까지만 해도 '맨체스터 유나이티드에게는 4-4-2가 맞지 않았을까'라고 생각해본다.

Q - Quick Sevice, David Beckham (**퀵서비스, 베컴**)

정확한 패스와 정확한 크로스. 이 두 가지가 데이비드 베컴을 설명한다. 그는 가장 유명한 '스탠딩 윙어'이다. 공을 받으면 지키다가 정확히 주는 패스가 일품이다. 게다가 프리킥도 매우 잘 차는 것으로 유명하다. 공을 찰 때, 사진과 같이 지지하는 발과 땅을 45° 각도를 만들면서 정확도를 높인다. 그의 킥은 마치 예술을 보는 듯 한 기분을 들게 했다.

1993년 맨체스터 유나이티드의 유니폼을 입은 후로 알렉스 퍼거슨 밑에서 팀의 트레블을 이끌기도 하고 여러 트로피를 가지고 오는 데 일조했다. 허나 퍼거슨과의 마찰로 인해 레알 마드리드로 떠나게 된다. 아쉽게 끝난 인연이지만, 265경기 동안 맨체스터 유나이티드의 팬들은 그로 인해 기쁨을 느꼈다면 된 것이다.

R - Rumor Best 11 (루머 베스트 일레븐)

맨체스터 유나이티드는 세계적인 빅 클럽이다. 따라서 몸값 높은 선수들과 자주 루머가 나기도 한다. 2015년 여름 이적 시장에서 맨체스터 유나이티드와의 루머가 났던 선수들로 베스트 일레븐을 선정했다. 아래는 〈월-스트리트 저널〉에서 발표한 '맨체스터 유나이티드와 루머 기사가 난 횟수'의 순위이다.

라파엘 바란　　가레스 베일

제롬 보아텡　　사미 케디라　　크리스티아누 호날두

휴고 요리스

니콜라스 오타멘디　　폴 포그바　　카림 벤제마

세르히오 라모스　　해리 케인

Seeing Red

Potential Manchester United signings, sorted by the number of English-language news clips in the past 30 days, where their name appeared in the headline as a rumored target.

PLAYER, CURRENT TEAM	ARTICLES	PLAYER, CURRENT TEAM	ARTICLES
Bastian Schweinsteiger, Bayern Munich	64	Roberto Firmino, Hoffenheim	28
Sergio Ramos, Real Madrid	61	Paul Pogba, Juventus	25
Nicolas Otamendi, Valencia	60	Mats Hummels, Borussia Dortmund	18
Hugo Lloris, Tottenham	54	Raphael Varane, Real Madrid	13
Harry Kane, Tottenham	53	Felipe Anderson, Lazio	13
Gareth Bale, Real Madrid	46	Carlos Bacca, Sevilla	9
Karim Benzema, Real Madrid	46	Jasper Cillessen, Ajax	6
Ilkay Gundogan, Borussia Dortmund	45	Jerome Boateng, Bayern Munich	4
Raheem Sterling, Liverpool	39	Alexandre Lacazette, Lyon	4

Source: Factiva　　The Wall Street Journal

S - Se7en Story (7번 이야기)

맨체스터 유나이티드에게 가장 의미 있는 번호는 7번이다. 팀 내부에서는 물론이고 세계적으로 가장 위대한 선수들이 거쳐 간 번호이기 때문이다.

그 전설의 시작은 조지 베스트로부터 시작된다. 17세라는 어린 나이에 맨체스터 유나이티드에 입단하고 11시즌 동안 팀의 공격을 도맡아 하면서 프리미어리그 득점왕, 발롱도르 등의 수상을 하게 되었다. 아직도 그는 최고의 선수로 칭송받고 있으며, 그로부터 맨체스터 유나이티드 7번의 이야기는 시작되었다.

그의 7번을 물려받은 선수는 바로 브라이언 롭슨이다. 1982년부터 1994년까지 무려 13년간 팀의 주장을 맡기도 한 브라이언 롭슨은 중원의 지휘자로서 맨체스터 유나이티드의 정신적 지주이기도 했다. 롭슨 다음으로는 영국인이 사랑한 프랑스인, 에릭 칸토나이다. 입단 첫 해부터 엄청난 활약을 펼쳤고 동시에 '1990년대의 맨체스터 유나이티드의 전부'라고 해도 무리가 없을 정도로 대단한 활약을 펼쳤던 레전드이다. 그리고는 Q - Quick Sevice, David Beckham (**퀵서비스, 베컴**) 이야기의 주인공이었던 데이비드 베컴이 7번을 받게 된다. 라이언 긱스 등과 함께 좋은 활약을 펼쳤지만 결국 레알 마드리드로 이적했고, 그가 떠난 후 7번의 주인공은 잠시 없었다.

알렉스 퍼거슨은 포르투갈에서 온 크리스티아누 호날두에게 7번을 주려고 하지만 계속해서 호날두는 부담감 때문에 거절한다. 하지만 계속된 요구 끝에 그는 7번을 달게 된다. 결국 앞선 7번들의 활약과 같이 엄청난 모습을 보이면서 세계적인 수준의 선수가 되었다. 이후 한때 잉글랜드의 에이스이자 리그 라이벌 리버풀의 선수였던 마이클 오웬과 2009년부터 팀에 헌신했던 안토니오 발렌시아(7번에 맞지 않는 활약에 본인이 다시 반납했다는 루머가 있었다.)를 거쳐 레알 마드리드에서 온 앙헬 디 마리아가 달게 되었다.

디 마리아는 7번을 달고 기존 7번의 선수들처럼 좋은 활약을 펼칠 것 같았으나 약 1,000억 원의 이적료가 무색하게 2014-2015 프리미어리그 최악의 영입 TOP10에 뽑히기도 하면서 많은 실망감을 안겨 주었다.

T - Talk about Matt (맷 버스비에 대한 이야기)

앞서 아스날에서는 하버트 채프먼과 아르센 벵거, 리버풀에서는 빌 샹클리와 밥 페이즐리를 꼽았다면, 맨체스터 유나이티드에서는 단연 두 명의 위대한 스코틀랜드 출신 감독인 알렉스 퍼거슨과 맷 버스비를 뽑겠다.

1933-1934 시즌, 맷 버스비는 FA컵 우승컵을 들어 올렸다. 프로와 아마추어를 통틀어 영국의 모든 축구팀이 죄다 참여하는 대회에서 말이다. 그런데 그가 입었던 유니폼은 붉은색이 아니라 하늘색이다. 사실 그는 선수 생활을 맨체스터 시티(204경기)와 리버풀(115경기)에서 보냈다. 선수로서의 삶을 끝내고 지도자로서의 삶을 시작하는데 첫 무대가 바로 그 두 팀의 숙명적 라이벌인 맨체스터 유나이티드인 것이다.

당시 맨체스터 유나이티드의 팬들은 딱히 달가워하지 않는 표정이었다.(K리그 FC서울의 레전드인 아디가 수원 삼성의 감독으로 부임하는 정도일 것이다.) 하지만 그는 여러 재능 있는 선수들을 발굴하고 좋은 선수들을 영입하면서 '버스비와 아이들'을 꾸렸다. 25년간 맨체스터의 올드 트래포드에서 함께하며, 1부 리그 5회 우승과 채리티 실드 5회 우승 등을 하며 1940~60년대 절대강자가 되었다.

사실 버스비 역시 H - High, Higher, Highest! : Munich Air Disaster. **(높이, 더 높이, 가장 높이! : 뮌헨 비행기 참사)**의 피해자이다. 물론 생존자이지만 자신이 이끌던 팀이 다 함께 사고를 당하고 게다가 일부는 세상을 떠나기까지 했으니, 그의 정신적 충격이 어땠을까 생각하면 끔찍하다. 사실 정신적 충격뿐만이 아니었다. 실제로 그 역시 죽을 고비에 처해있었다. 독일 뮌헨의 병원에서는 죽기 직전에 하는 의식을 두 번이나 치렀을 정도로 위독했다. 그런 상황 속에서 팀을 최정상으로 올려놓았기 때문에 지금까지도 '위대한 감독'이라고 평가 받는 것이다. 그는 축구화에 신발 끈을 최초로 도입하기도 했고, 고정 관념적 운동 방법에서 탈피하면서 현대 축구의 초석을 닦아놓은 인물이다.

흥미롭게도, 리버풀의 위대한 감독인 빌 샹클리와 맨체스터 유나이티드의 위대한 감독인 맷 버스비는 친한 사이였다고 한다. 매 주말마다 축구 팬들에게 즐거움을 선사하고, 영국 축구를 알리기 위해 그리고 축구의 발전을 위해 그 누구보다 힘썼던 두 감독이 있기에 지금의 리버풀과 맨체스터 유나이티드가, 지금의 프리미어리그가, 지금의 축구가 있는 건 아닐까.

U - Unsung Hero, Carrick (이름 없는 영웅, 캐릭)

맨체스터 유나이티드가 승리를 했다. 아니 우승을 했다고 가정을 해 보자. 대부분의 스포트라이트는 팀의 주 득점포 선수나 공격을 이끈 주인공이나 화려한 선방을 시즌간 보여준 골키퍼에게 가곤 한다. 하지만 어느 팀이나 보이지 않는 곳에서 자신의 일을 묵묵히 하는 '이름 없는 영웅'이 있기 마련이다. 맨체스터 유나이티드에서는? 바로 마이클 캐릭이다.

웨스트 햄 유소년 선수였던 캐릭은 1999년 프로로 데뷔하여 2000년부터 엄청난 활약을 보이기 시작한다. 그리고 2004년에는 토트넘으로 이적해 활약했다. 리그 정상급 활약을 보이자 맨체스터 유나이티드가 그를 영입한다. 2006년에 로이 킨의 16번을 달고 맨체스터 유나이티드의 유니폼을 입게 된 그는 이후 오언 하그리브스의 영입에도 불구하고 계속해서 중원 주전 자리를 확보하게 된다. 2014-2015 프리미어리그까지 계속 꾸준한 활약을 보였다.

사실 그에 대해서 칭찬하고 '대단한 선수'라고 이야기 하는 사람이 매우 적다. 그래서 그는 '이름 없는 영웅'이다. 팀에는 스타도 있어야하지만 캐릭과 같은 이름 없는 영웅도 있어야 한다. 그는 2000년대 맨체스터 유나이티드의 최고의 미드필더였음에 틀림없다.

 V - V for the Glory (영광을 위한 'V')

맨체스터 유나이티드는 1909년 FA컵 결승전에서 특별한 유니폼을 선보였다. 바로 흰색 유니폼에 빨간색 'V' 모양을 그려 넣은 것이다. 이는 'Victory'에서의 'V'를 뜻하며, 승리를 기원한다는 의미에서 넣었다. 그 'V'에 힘입어 팀 최초의 FA컵 우승을 하게 된다.

그로부터 정확히 100년 후, 2009-2010 시즌을 앞두고 유니폼을 발표하는데, 팀의 최초 FA컵 우승을 기념하기 위해 다시 그 영광의 'V'를 넣은 유니폼이었다. 이 'V'에 힘입어 결국 리그 컵에서도 우승하고 커뮤니티 실드에서도 우승하게 된다. 게다가 이 유니폼의 모델 중 한 명이 박지성이었기 때문에 '태권V'라는 재미있는 별명이 붙기도 했다.

W - War of the Rose is boring.. (장미 전쟁은 지루해)

'장미 전쟁' 붉은 장미의 랭커스터 가문과 백장미의 요크 가문의 전쟁으로 요크 가문의 리차드는 랭커스터 가문의 헨리 4세가 왕위를 찬탈한 것이므로 자신이 왕위 계승권이 있다면서 들고 일어난 사건이다. 결국 귀족간의 가문 싸움인 것이다. 30년에 걸친 전쟁의 결과는 랭커스터 가문의 승리로 끝났다. 그런데 이게 축구로도 연결된다니 흥미롭지 않은가? 맨체스터 유나이티드가 랭커스터 주에 위치해있고 리즈 유나이티드가 요크셔에 위치해있어서 자연스레 지역감정이 생기게 된 것이다.(흔히 리버풀과 맨체스터 유나이티드의 더비 경기를 로즈 더비라고 하는데, 노스-웨스트 더비가 맞는 말이다.)

프리미어리그를 비롯한 잉글랜드 축구에서 가장 오래된 더비 경기 중 하나로 뽑히면서 가장 치열한 더비 경기로도 손에 꼽힌다. 허나 리즈 유나이티드가 2부 리그로 강등되면서 예전의 명성을 잃고, 심지어 역대 전적에서 맨체스터 유나이티드가 꽤나 차이 나게 앞서면서 흥미가 줄어들고 있다. 맨체스터 유나이티드는 전 세계에서 수준급 선수들을 영입하면서 선수단을 구성하는 반면, 리즈 유나이티드는 재정적 문제로 좋은 선수를 영입하지 못하기 때문에 종종 FA컵에서 만난다고 해도 딱히 흥미로운 경기 내용은 아니다.

X - X-Man : Moyes (X-맨, 데이비드 모예스)

맨체스터 유나이티드의 기나긴 역사 속 X맨을 찾으라고 한다면 조심스레 데이비드 모예스를 이야기 하고 싶다. 2002년부터 2013년까지 에버튼의 감독을 맡으면서 당시 알렉스 퍼거슨과 아르센 벵거 다음으로 가장 오래 지휘봉을 잡은 감독으로 있었지만, 퍼거슨이 은퇴를 하게 되면서 맨체스터 유나이티드의 새로운 감독으로 부임하게 된다. 그리고 '최악의 감독'이라는 타이틀을 얻는다.

약 12년이라는 긴 시간을 에버튼의 감독으로 보낸 모예스는 에버튼에서는 팀을 강등 권에서 중상위권으로 올려놓은 '영웅'이기도 하다. 허나 맨체스터 유나이티드와 6년 계약을 맺음과 동시에 '돈을 자유롭게 쓸 수 있는 상황의 모예스는 어떤 성과를 낼 것인가'에 모든 팬들의 이목이 집중되어 있었다.

하지만 기대와는 다르게 온통 실망만 안겨주었다. 영입도 제대로 못하고 선수단 관리도 못하고, 특히 에버튼 시절에 법정까지 다녀온 루니와의 관계 개선에도 실패하면서 지도자로서 딱히 좋은 평을 받지는 못했다. 2013년 커뮤니티 실드에서는 FA컵 우승 팀인 위건을 이기면서 그의 첫 잉글랜드 무대 타이틀을 얻었지만, 프리미어리그에서는 팀의 성적이 수직 하락하면서 시즌 도중에도 경질하라는 움직임이 계속 돌았다. 결국 시즌 도중 경질되면서 '에버튼의 명장'이 1년 만에 '맨체스터 유나이티드의 X맨'이 되어버렸다. 에버튼 시절에 "에버튼을 맨체스터 유나이티드보다 높은 순위에 놓을 것이다."라고 한 약속을 (에버튼 감독이 아닌데) 지킨 꼴이 되었다. 이후 루이스 반 할이 후임으로 들어왔고, 그는 스페인의 명문인 레알 소시에다드의 지휘봉을 잡았다. 2015년에 들어서는 바르셀로나를 상대로 승리를 거두기도 했고, 시즌 중간에 부임한 것에 비해서는 준수한 활약을 펼쳤다.

프리미어리그의 명장 중 하나였던 그가 '자리를 옮기면서 괜히 양 팀과 본인 스스로를 망친 것이 아닌가.'라는 생각이 들며 안타까운 마음 역시 든다. 어쨌든, 맨체스터 유나이티드 팬들에게 모예스는 'X맨'이다.

Y - Young is Top Class Player (영은 톱클래스야.)

2000년 선수 생활을 시작한 애슐리 영은 이후 아스톤 빌라에서 좋은 활약을 보이면서 알렉스 퍼거슨에 의해 맨체스터 유나이티드로 이적하게 되었다. 초반에는 어느 정도의 활약은 보였지만 그 다음 시즌부터 폼이 하락한다. "리그 컵이나 FA컵 말고, 프리미어리그에 출장하고 싶다."라는 이야기를 하면서 팬들과 언론에게 한 번 더 비난을 받기도 했다. 하지만, 이후 점점 폼을 되찾으면서 맨체스터 더비에서 1득점 2도움을 기록하기까지 했다. 그래도 역시 2011년부터 2014년까지의 활약은 정말 '맨체스터 유나이티드의 측면 미드필더'답지 못했다.

Z - Z × 2 (Z × 2)

맨체스터 유나이티드 역사 속 선수들은 A부터 Z까지 모두 존재했다. 'Q'의 성을 가진 알버트 퀵셀과 'U'의 성을 가진 이안 우레가 있었다. 'Z'의 성을 가진 선수는 리버풀과 같이 역사상 두 명이었다.(아쉽게도 이번엔 바우더베인 젠던은 없다.)

첫 번째는 유소년 선수로서 2005년에 맨체스터 유나이티드 유니폼을 입은 론-로버트 칠러라는 골키퍼이다. 팀에서 유소년과 리저브를 거쳐 2008년에 1군 프로에 데뷔하였지만 결국 에드윈 반 데 사르라는 엄청난 골키퍼에 밀려 노스햄튼 타운에 이적을 가게 된다. 이후 팀에 복귀하여 약 1년 반 정도를 보냈고, 결국에는 독일의 하노버로 이적하였다.

두 번째는 윌프레드 자하이다. 2010년 크리스탈 팰리스에서 선수 생활을 시작한 잉글랜드, 코트 디 부아르 이중 국적의 자하는 프리미어리그의 기대주로서 맨체스터 유나이티드, 카디프 시티를 거쳐 크리스탈 팰리스로 이적하였다. 한 가지 자료를 보면, 2부 리그 통산 126경기에 출장했지만 13득점에 그쳤다.(오히려 경고가 20회로 더 많다.)

|맺음 말|

전 세계 축구 팬들에게, 또 대한민국 국내 축구 팬들에게 가장 사랑받는 리그인 프리미어리그는 가장 친숙한 리그이기도 하고 역사가 깊은 리그이기도 합니다. 이런 리그에서 꾸준히 좋은 성적을 내면서 많은 팬들을 확보한 아스날, 첼시, 리버풀 그리고 맨체스터 유나이티드를 우리는 'BIG 4'라고 부릅니다.

'BIG 4'에 대한 이야기를 담으면서 '어떤 이야기를 하면 축구 팬들에게 흥미로울까?'라는 고민을 수도 없이 많이 했습니다. 왠지 역사 이야기만 주구장창하면 지루함을 느끼실 수도, 그렇다고 2000년대 이후 이야기만 한다면 딱히 흥미롭지 않으실 수도 있기 때문입니다. 그래서 '과거'와 '현재' 그리고 '미래'를 섞고, 진지한 '다큐'와 흥미로운 '예능'을 섞어 담아냈습니다.(참고로, 아스날-첼시-리버풀-맨체스터 유나이티드의 순서는 알파벳 철자 순입니다.)

한 가지 제 부탁을 덧붙이자면, K리그에 관심을 가져달라는 부탁입니다. 제가 가장 좋아하는 축구계의 명언 중 하나가 'Football Without Fan Is Nothing.'(팬 없는 축구는 아무것도 아니다.)입니다. 프리미어리그는 역사적으로 지역 주민들과 함께 발전했습니다. 아스날도 북런던 주민들의 사랑을 받으며 세계적인 클럽으로 성장했고, 맨체스터 유나이티드도 '초록-노랑' 머플러를 두른 지역 주민과 함께 유럽의 강자가 되었습니다. 이처럼 해외 축구 팬들께서 조금이나마 국내 프로축구인 K리그에도 관심을 가져주셨으면 하는 마음이 있습니다.

책을 집필하면서 도움을 주셨던 친척 형님과 파워 블로거 리버풀 팬 JM(김재민)님, 〈This Is Anfield-리버풀 커뮤니티〉, 〈Carefree-첼시 커뮤니티〉 그리고 〈까리한축구〉의 독자 분들께 감사드립니다. 또한 출판이라는 도전을 응원 해 주신 가족과 많은 도움을 주신 출판사에게도 감사의 인사를 전하고 싶습니다.

학교, 직장, 가정에서 힘들게 일주일을 보내셨다면 주말에는 가족, 친구와 함께 축구로 피로를 풀어 보시는 것은 어떨까요. 아마 프리미어리그를 보기 시작하셨다면, 주말이 기다려지실 겁니다.

이 책으로 축구에 관심 없던 사람이 단 한 명이라도 축구에 빠지게 된다면, 그것으로 만족합니다. 감사합니다.

축구 칼럼니스트 김 동 완